# MAIGRET, LOGNON
# ET LES GANGSTERS

# OUVRAGES DE GEORGES SIMENON

## AUX PRESSES DE LA CITÉ

### COLLECTION MAIGRET

### ROMANS

Georges SIMENON

# MAIGRET, LOGNON
## ET
# LES GANGSTERS

roman

PRESSES DE LA CITÉ
PARIS

© 1692 *by Georges Simenon.*

ISBN 2-258-00066-1

# 1

*Où Maigret est contraint de s'occuper de Mme Lo-
gnon, de ses infirmités et de ses gangsters.*

— ENTENDU... ENTEN-
du... Oui, monsieur... Mais oui... Mais oui... Je
vous promets de faire tout mon possible.. C'est
cela... Je vous salue... Comment? Je dis : je vous
salue... Il n'y a pas d'offense... Bonjour, monsieur...

Pour la dixième fois, sans doute, il ne les
comptait plus, Maigret raccrocha le téléphone, ral-
luma sa pipe avec un regard de reproche à la
pluie longue et froide qui tombait derrière les
vitres et, saisissant sa plume, se pencha sur le
rapport commencé depuis une heure et qui n'a-
vait pas encore une demi-page.

En réalité, tandis qu'il écrivait un premier
mot, il pensait à autre chose, il pensait à la pluie,
à cette pluie particulière qui précède les vrais
froids de l'hiver et qui a le don de s'insinuer
dans votre cou, à travers vos chaussures, de couler en grosses gouttes de votre chapeau, une pluie
à rhumes de cerveau, sale et triste, qui donne

aux gens l'envie de rester chez eux, où on les voit comme des fantômes derrière leurs vitres.

Est-ce l'ennui qui les pousse alors à téléphoner ? Sur les huit ou dix coups de téléphone presque successifs, il n'y en avait pas trois d'utiles. Et la sonnerie retentissait de nouveau, Maigret regardait l'appareil comme s'il était tenté de le pulvériser d'un coup de poing, aboyait enfin :

— Allô ?

— Mme Lognon insiste pour vous parler personnellement.

— Madame qui ?

— Lognon.

Cela avait l'air d'un gag, par un temps pareil, à un moment où Maigret était déjà exaspéré, d'entendre soudain au bout du fil le nom de celui qu'on surnommait l'Inspecteur Malgracieux, l'homme le plus lugubre de la police parisienne, à la malchance si proverbiale que certains prétendaient qu'il avait le mauvais oeil.

Ce n'était même pas Lognon qui était au bout du fil, mais Mme Lognon. Maigret ne l'avait rencontrée qu'une fois, dans leur logement de la place Constantin-Pecqueur, à Montmartre, et depuis ce jour-là il n'en voulait plus à l'inspecteur, continuait à le fuir dans la mesure du possible, mais en le plaignant de tout coeur.

— Passez-la-moi... Allô ! Mme Lognon ?

— Excusez-moi de vous déranger, monsieur le commissaire...

Elle articulait précieusement les syllabes à la façon des gens qui tiennent à vous prouver qu'ils ont reçu une bonne éducation. Maigret nota qu'on était le jeudi 19 novembre. L'horloge de marbre noir, sur la cheminée, marquait onze heures du matin.

— Je ne me serais pas permis d'insister pour vous parler personnellement si je n'avais eu de raison majeure...

— Oui, madame.

— Vous nous connaissez, mon mari et moi. Vous savez que...

— Oui, madame.

— J'ai absolument besoin de vous voir, monsieur le commissaire. Il se passe des choses horribles, et j'ai peur. Si ma santé ne m'en empêchait, je courrais Quai des Orfèvres. Mais, comme vous ne l'ignorez pas, voilà des années que je suis clouée à mon cinquième étage.

— Si je comprends bien, vous voudriez que j'aille là-bas?

— Je vous en prie, monsieur Maigret.

C'était énorme. Elle disait cela poliment, mais fermement.

— Votre mari n'est pas chez vous?

— Il a disparu.

— Hein? Lognon a disparu? Depuis quand?

— Je l'ignore. Il n'est pas à son bureau, et personne ne sait où il se trouve. Les gangsters sont revenus ce matin.

— Les quoi?

— Les gangsters. Je vous raconterai tout. Tant pis si Lognon est furieux. J'ai trop peur.

— Vous voulez dire que des gens se sont introduits chez vous?

— Oui.

— De force?

— Oui.

— Pendant que vous y étiez?

— Oui.

— Ils ont emporté quelque chose?

— Peut-être des papiers. Je n'ai pas pu vérifier.

— Cela s'est passé ce matin?

— Il y a une demi-heure. Mais les deux autres étaient déjà venus avant-hier.

— Quelle a été la réaction de votre mari?

— Je ne l'ai pas revu.

— J'arrive.

Maigret n'y croyait pas encore. Pas trop. Il se gratta la tête, choisit deux pipes qu'il glissa dans sa poche, entrebâilla la porte du bureau des inspecteurs.

— Personne n'a entendu parler de Lognon, ces jours-ci?

Le nom amenait toujours un sourire sur les lèvres. Non. Personne n'en avait entendu parler. L'inspecteur Lognon, malgré son furieux désir, n'appartenait pas au Quai des Orfèvres, mais au deuxième quartier du IX^e arrondissement, et son bureau se trouvait au commissariat de la rue de La Rochefoucauld.

— Si on me demande, je serai de retour d'ici une heure. Il y a une voiture en bas?

Il endossa son gros pardessus, trouva dans la cour une petite auto de la police et donna l'adresse de la place Constantin-Pecqueur. Il faisait aussi gai dans les rues que sous la verrière de la gare du Nord, et les passants recevaient stoïquement dans les jambes les gerbes d'eau sale dont les voitures aspergeaient les trottoirs.

L'immeuble était quelconque, vieux d'un siècle, sans ascenseur. Maigret gravit les cinq étages en soupirant; une porte s'ouvrit enfin sans qu'il

ait eu besoin de frapper; Mme Lognon, les yeux
et le nez rouges, le fit entrer en murmurant :

— Je vous suis tellement reconnaissante d'être
venu ! Si vous saviez l'admiration que mon pauvre
mari a pour vous !

Ce n'était pas vrai. Lognon le détestait. Lognon
détestait tous ceux qui avaient la chance de travailler Quai des Orfèvres, tous les commissaires,
tout ce qui avait un grade supérieur au sien. Il
détestait ses aînés parce qu'ils étaient ses aînés et
les jeunes parce qu'ils étaient jeunes. Il...

— Asseyez-vous, monsieur le commissaire...

— Elle était petite, maigre, mal coiffée, vêtue
d'une robe de chambre en flanelle d'un vilain
mauve. Ses yeux étaient profondément cernés,
ses narines pincées, et elle portait sans cesse la
main au côté gauche de sa poitrine comme quelqu'un qui souffre du coeur.

— J'ai préféré ne toucher à rien, afin que vous
vous rendiez compte...

L'appartement était exigu : une salle à manger,
un salon, une chambre à coucher, cuisine et cabinet de toilette, le tout de proportions réduites,
avec des portes que les meubles empêchaient d'ouvrir tout à fait. Sur le lit, un chat noir était
roulé en boule.

C'est dans la salle à manger que Mme Lognon
avait introduit Maigret, et il était évident que
le salon ne servait jamais. Les tiroirs du buffet
ne contenaient pas d'argenterie, mais des papiers,
des carnets, des photographies qu'on avait mis
sens dessus dessous; des lettres traînaient par
terre.

— Je crois, dit-il en hésitant à allumer sa pipe,
qu'il vaudrait mieux que vous commenciez par le

commencement. Tout à l'heure, au téléphone, vous avez parlé de gangsters.

Elle articula d'abord, avec l'accent résigné d'une personne résignée à souffrir :

— Vous pouvez fumer votre pipe.

— Merci.

— Voyez-vous, dès mardi matin...

— Autrement dit avant-hier?

— Oui. Cette semaine, Lognon est de service de nuit. Mardi matin, il est rentré un peu après six heures, comme d'habitude. Mais au lieu de se mettre au lit tout de suite après avoir mangé, il s'est promené pendant plus d'une heure dans l'appartement à m'en donner le vertige.

— Il paraissait tracassé?

— Vous savez à quel point il est consciencieux, monsieur le commissaire. Je ne cesse de lui répéter qu'il est trop consciencieux, qu'il se ruine la santé et que personne ne lui en sait gré. Je vous demande pardon de parler aussi franchement, mais vous avouerez qu'on ne l'a jamais traité selon son mérite. C'est un homme qui ne pense qu'à son service, qui se ronge...

— Mardi matin, donc...

— A huit heures, il est descendu pour faire le marché. J'ai honte de n'être qu'une femme impotente, pour ainsi dire bonne à rien, mais ce n'est pas ma faute. Le docteur me défend de monter les escaliers, et il faut bien que ce soit Lognon qui aille acheter le nécessaire. Ce n'est pas une besogne pour un homme comme lui, je le sais. Chaque fois, je...

— Mardi matin?

— Il a fait les courses. Puis il m'a dit qu'il devait passer au bureau, qu'il n'en aurait pro-

bablement pas pour longtemps et qu'il dormirait
dans l'après-midi.

— Il n'a pas parlé de l'affaire dont il s'occupait ?

— Il n'en parle jamais. Quand j'ai le malheur
de lui poser une question, il répond qu'il est tenu
par le secret professionnel.

— Il n'est pas revenu depuis ?

— Vers onze heures, oui.

— Le même jour ?

— Oui. Mardi, vers onze heures du matin.

— Il était toujours nerveux ?

— Je ne sais pas s'il était nerveux ou si c'é-
tait son rhume, car il avait attrapé un rhume de
cerveau. J'ai insisté pour qu'il se soigne. Il a
répliqué qu'il se soignerait plus tard, quand il en
aurait le temps, qu'il devait sortir de nouveau,
mais qu'il rentrerait avant le dîner.

— Il est rentré ?

— Attendez. Mon Dieu ! J'y pense tout à coup !
Si je n'allais plus le revoir ! Moi qui lui ai justement adressé des reproches, lui disant qu'il ne
s'inquiétait pas de sa femme, mais seulement de
son travail…

Maigret attendait, résigné, mal d'aplomb sur
une chaise au dossier trop droit et qu'il n'osait
renverser en arrière, car elle n'était pas solide.

— C'est peut-être un quart d'heure après son
départ, même pas, vers une heure, que j'ai entendu des pas dans l'escalier. J'ai supposé que
c'était pour la personne du sixième, une femme
qui, entre nous…

— Oui. Des pas dans l'escalier…

— Ils se sont arrêtés sur mon palier. Je venais
de me recoucher, comme le docteur m'a prescrit

de le faire après mes repas. On a frappé à la porte, et je n'ai pas répondu. Lognon m'a recommandé de ne jamais répondre quand les gens ne disent pas leur nom. On ne peut pas travailler comme il le fait sans avoir d'ennemis, n'est-ce pas ? J'ai été surprise quand j'ai entendu la porte qui s'ouvrait, puis des pas dans le couloir, dans la salle à manger. Ils étaient deux, deux hommes qui ont regardé dans la chambre et qui m'ont vue, toujours dans mon lit.

— Vous avez pu les observer ?

— Je leur ai ordonné de s'en aller, les ai menacés d'appeler la police ; j'ai même tendu la main vers le téléphone qui se trouve sur la table de nuit.

— Et alors ?

— L'un des deux, le plus petit, m'a montré son revolver en me disant quelque chose dans une langue que je ne connais pas, probablement en anglais.

— De quoi avaient-ils l'air ?

— Je ne sais pas comment m'exprimer. Ils étaient très bien habillés. Tous les deux fumaient la cigarette. Ils avaient gardé leur chapeau sur leur tête. Ils paraissaient étonnés de ne pas trouver quelque chose ou quelqu'un.

» — Si c'est mon mari que vous voulez voir..., ai-je commencé.

» Mais ils ne m'écoutaient pas. Le plus grand a fait le tour de l'appartement pendant que l'autre continuait à me surveiller. Je me souviens qu'ils ont regardé sous le lit, dans les placards.

— Ils n'ont pas fouillé les meubles ?

— Pas ces deux-là, non. Ils ne sont guère restés plus de cinq minutes, ne m'ont rien demandé, sont partis tranquillement, comme si leur visite était toute naturelle. Bien entendu, je me suis précipitée à la fenêtre et je les ai vus qui discutaient, sur le trottoir, près d'une grosse voiture noire. Le plus grand y est monté, et l'autre a marché jusqu'au coin de la rue Caulaincourt. Je crois qu'il est entré au bar. J'ai tout de suite téléphoné au bureau de mon mari.

— Il s'y trouvait?

— Oui. Il venait juste d'arriver. Je lui ai raconté ce qui s'était passé.

— Il a paru surpris?

— C'est difficile à dire. Au téléphone, il est toujours bizarre.

— Vous a-t-il demandé de lui décrire les deux hommes?

— Oui. Je l'ai fait.

— Faites-le à nouveau.

— Ils étaient tous les deux très bruns, comme des Italiens, mais je suis sûre que ce n'est pas l'italien qu'ils parlaient. Je crois que le plus important des deux était le grand, un bel homme, ma foi, un tout petit peu trop gras, d'une quarantaine d'années. Il avait l'air de sortir de chez le coiffeur.

— Et le petit?

— Plus vulgaire, avec un nez cassé et des oreilles de boxeur, une dent en or sur le devant. Il portait un chapeau gris-perle et un manteau gris, l'autre un poil de chameau tout neuf.

— Votre mari n'est pas accouru?

— Non.

— Il ne vous a pas envoyé la police du quartier?

— Non plus. Il m'a recommandé de ne pas

m'inquiéter, même s'il restait plusieurs jours sans rentrer à la maison. Je lui ai demandé comment je ferais pour manger, et il a répondu qu'il s'en occuperait.

— Il s'en est occupé?

— Oui. Le lendemain matin, les fournisseurs sont venus livrer ce dont j'avais besoin. Ils sont revenus ce matin.

- Vous n'avez pas eu de nouvelles de Lognon pendant la journée d'hier?

— Il m'a téléphoné deux fois.

— Et aujourd'hui?

— Une fois, vers neuf heures.

— Vous ignorez d'où il vous appelait?

— Oui. Il ne me dit jamais où il est. Je ne sais pas comment sont les autres inspecteurs avec leur femme, mais, lui...

— Arrivons-en à la visite de ce matin.

— J'ai encore entendu des pas dans l'escalier.

— A quelle heure?

— Un peu après dix heures. Je n'ai pas regardé le réveil. Peut-être dix heures et demie.

— C'étaient les mêmes hommes?

— Il n'y en avait qu'un que je n'avais jamais vu. Il n'a pas frappé, est entré tout de suite, comme s'il avait la clef. Peut-être s'est-il servi d'un passe-partout? J'étais dans la cuisine, à éplucher mes légumes. Je me suis levée de ma chaise et l'ai vu dans l'encadrement de la porte.

» — Bougez pas, m'a-t-il dit. Surtout, ne criez pas. Je ne vous ferai pas de mal.

— Il avait un accent?

— Oui. Il a fait plusieurs fautes de français. Celui-là, j'en suis certaine, avait bien le type américain, un grand blond presque roux, large d'épaules, qui mâchait de la gomme. Il regardait autour de lui curieusement, comme si c'était la première fois qu'il voyait un appartement parisien. Au premier coup d'oeil dans le salon, il a aperçu le diplôme que Lognon a reçu après vingt-cinq ans de service.

Le diplôme, encadré de bois noir à filets d'or, portait en ronde le nom de Lognon et son titre.

» — Un flic, hein ! m'a dit l'homme. Où est-il ?

» J'ai répliqué que je l'ignorais, et cela n'a pas paru le tracasser. C'est alors qu'il s'est mis à ouvrir les tiroirs, à examiner les papiers qu'il rejetait n'importe comment et qui parfois tombaient par terre.

» Il a trouvé une photographie qui nous représente tous les deux il y a quinze ans, m'a regardée en hochant la tête, a glissé la photo dans sa poche.

— En somme, il ne paraissait pas s'attendre à ce que votre mari appartînt à la police ?

— Il n'a pas été spécialement surpris, mais je suis persuadée qu'il ne le savait pas en arrivant.

— Il vous a demandé à quel service il appartient ?

— Il m'a demandé où il pourrait le trouver. J'ai dit que je n'en savais rien, que mon mari ne me parlait pas de ses affaires.

— Il n'a pas insisté ?

— Il a continué à lire tout ce qui lui tombait sous la main.

— Les papiers officiels de votre mari étaient dans ce tiroir ?

— Oui. L'homme en a mis dans sa poche, avec la photo. Dans le haut du buffet, il a trouvé une

bouteille de calvados et s'en est servi un grand
verre.

— C'est tout?

— Il a regardé sous le lit, lui aussi, et dans
les deux placards. Il est retourné pour boire de
nouveau dans la salle à manger et il est parti en
m'adressant un petit salut narquois.

— Avez-vous remarqué s'il portait des gants?

— Des gants en peau de porc, oui.

— Et les deux autres?

— Je crois qu'ils étaient gantés aussi. En tout
cas, celui qui m'a menacée de son revolver.

— Vous êtes encore allée à la fenêtre?

— Oui. Je l'ai vu sortir de la maison et rejoindre un des deux autres, le petit, qui l'attendait au coin de la rue Caulaincourt. J'ai aussitôt appelé le commissariat de la rue de La Rochefoucauld et j'ai demandé à parler à Lognon. On
m'a appris qu'on ne l'avait pas vu ce matin,
qu'on ne l'attendait pas et, quand j'ai insisté, on
m'a dit qu'il n'était pas allé au bureau la nuit
dernière, alors pourtant qu'il était de service.

— Vous les avez mis au courant de ce qui s'é-
tait passé?

— Non. J'ai tout de suite pensé à vous, monsieur le commissaire. Voyez-vous, je connais Lognon mieux que quiconque. C'est un homme qui
veut trop bien faire. Personne, jusqu'ici, n'a
reconnu ses mérites, mais il m'a souvent parlé
de vous, je sais que vous n'êtes pas comme les
autres, que vous ne le jalousez pas, que... J'ai
peur, monsieur Maigret. Il a dû s'en prendre à
des gens trop forts pour lui, et Dieu sait, à l'heure qu'il est, où...

La sonnerie du téléphone retentit dans la chambre à coucher. Mme Lognon tressaillit.

— Vous permettez?

Maigret l'entendit qui disait, soudain pincée :

— Comment! C'est toi? Où étais-tu? J'ai téléphoné à ton bureau, et on m'a répondu que tu n'y as pas mis les pieds depuis hier. Le commissaire Maigret est ici...

Maigret, qui l'avait rejointe, tendit la main vers le récepteur.

— Vous permettez?... Allô! Lognon?

L'autre, au bout du fil, restait silencieux, sans doute l'oeil fixe, les dents serrées.

— Dites-moi, Lognon, où êtes-vous en ce moment?

— Au bureau.

— Je me trouve dans votre appartement avec votre femme. J'ai besoin de vous parler. Je vais passer par la rue de la Rochefoucauld qui est sur mon chemin. Attendez-moi... Comment?

Il entendit l'inspecteur qui balbutiait :

— J'aimerais mieux pas ici. Je vous expliquerai, monsieur le commissaire...

— Alors, soyez au Quai des Orfèvres dans une demi-heure.

Il raccrocha, alla chercher sa pipe, son chapeau.

— Vous croyez qu'il n'y a rien de mal?

Et, comme il la regardait sans comprendre :

— Il est tellement imprudent, il a tellement de zèle que, quelquefois...

--:--

— Faites-le entrer.

Lognon était trempé, crotté comme s'il avait

erré toute la nuit dans les rues, et il avait un tel
rhume de cerveau qu'il devait tenir sans cesse son
mouchoir à la main. Il penchait la tête de côté,
comme quelqu'un qui s'attend à une engueulade,
restait debout au milieu de la pièce.

— Asseyez-vous, Lognon. Je sors de chez vous.

— Qu'est-ce que ma femme vous a dit?

— Tout ce qu'elle savait, je suppose.

Après quoi il y eut un assez long silence, dont
Lognon profita pour se moucher, sans oser regarder Maigret en face, et le commissaire, qui connaissait sa susceptibilité, ne savait pas trop par
quel bout le prendre.

Ce que Mme Lognon avait dit de son mari n'é-
tait pas tellement inexact. Cet imbécile-là, à force
de vouloir bien faire, se mettait invariablement
dans de mauvais cas, convaincu que le monde entier s'acharnait contre lui, qu'il était la victime
d'une conjuration ourdie pour l'empêcher de monter en grade et d'occuper enfin, à la Brigade spéciale du Quai des Orfèvres, la place qu'il mé-
ritait.

Le plus troublant, c'est qu'il n'était pas bête,
qu'il était réellement consciencieux et que c'était
le plus honnête homme de la terre.

— Elle est couchée? demanda-t-il enfin.

— Elle était debout quand je suis arrivé.

— Elle m'en veut?

— Regardez-moi, Lognon. Mettez-vous à votre
aise. Je ne sais que ce que votre femme m'a raconté, mais il me suffit de vous voir pour com
prendre que quelque chose ne va pas. Vous ne
dépendez pas de moi directement et ce que vous
pouvez avoir fait ne me regarde donc pas. Mais
peut-être, maintenant que votre femme s'est

adressée à moi, vaudrait-il mieux me mettre au
courant? Qu'en pensez-vous?

— Je crois, oui.

— Dans ce cas, je vous prie de me dire tout,
vous comprenez? Pas une partie, pas *presque* tout.

— Je comprends.

— Bon. Vous pouvez fumer.

— Je ne fume pas.

C'était vrai. Maigret l'avait oublié. Il ne fumait pas à cause de Mme Lognon, à qui l'odeur du
tabac donnait des malaises.

— Que savez-vous de ces gangsters?

Alors Lognon de répondre, convaincu :

— Je crois que ce sont vraiment des gangsters.

— Américains?

— Oui.

— Comment êtes-vous entré en rapport avec
eux?

— Je ne sais pas moi-même. Au point où j'en
suis, autant tout vous avouer, même si je dois
perdre ma place.

Il regardait fixement le bureau, et sa lèvre in-
férieure tremblait.

— Cela serait quand même arrivé un jour ou
l'autre.

— Quoi?

— Vous le savez bien. On me garde parce qu'on
ne peut pas faire autrement, parce qu'on n'est pas
encore parvenu à me prendre en faute, mais il y
a des années qu'on me guette...

— Qui?

— Tout le monde.

— Dites donc, Lognon !

— Oui, monsieur le commissaire.

— Vous avez fini de vous considérer comme persécuté?

— Je vous demande pardon.

— Cessez de rentrer les épaules et de regarder ailleurs. Bon! A présent, parlez-moi comme un homme.

Lognon ne pleurait pas, mais son rhume lui rendait les yeux humides, et c'était énervant de le voir porter sans cesse le mouchoir à son visage.

— Je vous écoute.

— Cela s'est passé la nuit de lundi à mardi.

— Quand vous étiez de service?

— Oui. Il était environ une heure du matin. Je faisais une *planque*.

— Où?

— Près de l'église Notre-Dame-de-Lorette, tout contre la grille, au coin de la rue Fléchier.

— Vous n'étiez donc pas dans votre secteur?

— Juste à la limite. La rue Fléchier se trouve dans le troisième quartier, mais je surveillais le petit bar qui est au coin de la rue des Martyrs et qui se trouve dans mon secteur. On m'avait signalé qu'un type y venait parfois la nuit pour vendre de la cocaïne. La rue Fléchier est obscure, presque toujours déserte à cette heure-là. J'étais collé contre la grille qui entoure l'église. A un certain moment, une auto a tourné le coin de la rue de Châteaudun, ralenti, stoppé un instant à moins de dix mètres de moi.

» Les occupants n'ont pas soupçonné ma présence. La portière s'est ouverte, et un corps a été lancé sur le trottoir; après quoi l'auto est repartie par la rue Saint-Lazare.

— Vous avez noté son numéro?

— Oui. Je me suis d'abord précipité sur le corps.

Je jurerais presque que l'homme était mort, mais je n'en suis pas sûr. Dans le noir, j'ai passé la main sur sa poitrine et l'ai retirée gluante de sang encore chaud.

Les sourcils froncés, Maigret murmura :

— Je n'ai rien vu de ce genre au rapport.

— Je sais.

— Cela s'est passé rue Fléchier, donc sur le trottoir du troisième quartier.

— Oui.

— Comment se fait-il que...

— Je vais vous le dire. Je me rends compte que j'ai eu tort. Vous ne me croirez peut-être pas.

— Qu'est-ce que le corps est devenu ?

— Justement. J'y arrive. Il n'y avait pas de sergent de ville en vue. Le petit bar était ouvert, à moins de cent mètres. J'y suis allé avec l'intention de téléphoner.

— A qui ?

— Au commissariat du troisième quartier.

— Vous l'avez fait ?

— Je me suis arrêté au comptoir pour demander un jeton. J'ai machinalement regardé dans la rue et j'ai vu une seconde voiture qui sortait de la rue Fléchier et s'engouffrait dans la rue Notre-Dame-de-Lorette. Elle s'était arrêtée près de l'endroit où j'avais laissé le corps. Alors je suis sorti du bar pour essayer de voir le numéro, mais l'auto était déjà trop loin.

— Un taxi ?

— Je ne crois pas. Cela s'est passé très vite. J'ai eu un pressentiment. J'ai couru vers l'église. Le cadavre n'était plus à sa place, près de la grille.

— Vous n'avez pas donné l'alarme ?

— Non.

— L'idée ne vous est pas venue qu'en lançant le numéro de la première auto la police aurait des chances de l'arrêter?

— J'y ai pensé. Je me suis dit que les gens qui avaient fait ce coup-là n'étaient pas assez bêtes pour circuler longtemps avec la même voiture.

— Vous n'avez pas rédigé de rapport?

Maigret avait compris, évidemment. Depuis des années et des années, le pauvre Lognon attendait la grosse affaire qui le mettrait enfin en vedette. C'était à croire, réellement, qu'il attirait le mauvais sort. Son secteur était un de ceux où les crimes sont le plus nombreux. Or, chaque fois qu'il s'en commettait un, ou bien cela se passait quand il n'était pas de service, ou bien, pour une raison ou pour une autre, la Brigade spéciale prenait l'affaire en main.

— Je sais bien que j'ai eu tort. Je m'en suis rendu compte presque tout de suite, mais, comme je n'avais pas donné l'alarme, il était déjà trop tard.

— Vous avez retrouvé l'auto?

— Le matin, je me suis rendu à la Préfecture, où, en consultant les listes, j'ai appris que la voiture appartenait à un garage de la Porte Maillot. J'y suis allé. C'est un garage qui loue des voitures sans chauffeur à la journée ou au mois.

— L'auto était rentrée?

— Non. Elle avait été louée deux jours plus tôt pour un temps indéterminé. J'ai vu la fiche du client, un certain Bill Larner, sujet américain, domicilié à l'*Hôtel Wagram,* avenue de Wagram.

— Vous y avez trouvé Larner?

— Il avait quitté l'hôtel vers quatre heures du matin.

— Vous voulez dire qu'il se trouvait dans sa chambre jusqu'à quatre heures du matin?

— Oui.

— Il n'était donc pas dans l'auto?

— Certainement pas. Le concierge de nuit l'a vu rentrer vers minuit. Larner a reçu un coup de téléphone à trois heures et demie et est parti presque aussitôt.

— Avec ses bagages?

— Non. Il a annoncé en passant qu'il allait chercher un ami à la gare et qu'il rentrerait pour le petit déjeuner.

— Bien entendu, il n'est pas revenu.

— Non.

— Et l'auto?

— Elle a été retrouvée dans la matinée près de la gare du Nord.

Lognon se moucha une fois de plus, regarda Maigret d'un air contrit.

— J'ai eu tort, je le répète. Nous voilà jeudi et, depuis mardi matin, j'essaie de m'y retrouver. Je ne suis pas rentré chez moi.

— Pourquoi?

— Ma femme a dû vous apprendre qu'ils sont venus, le mardi, un peu après mon départ. C'est une indication, n'est-ce pas?

Maigret le laissa parler.

— A mon avis, cela signifie que, après avoir lancé le corps sur le trottoir, ils m'ont aperçu dans l'ombre. Ils se sont dit que j'avais certainement noté le numéro de l'auto. Je parle de la première voiture, bien entendu, puisqu'il y en a eu deux. Ils se sont hâtés de l'abandonner. Ils ont téléphoné ensuite à Bill Larner que, par la fiche du garage, on allait probablement retrouver sa trace.

Maigret, tout en écoutant, faisait des dessins sur son buvard.

— Après?

— Je ne sais pas. Je ne fais que des suppositions. Ils ont dû éplucher les journaux et constater qu'on ne parlait pas de l'affaire.

— Vous avez une idée de la façon dont ils vous ont retrouvé?

— Je ne vois qu'une explication, et cela prouverait que ces gens-là sont très forts, que ce sont des professionnels. Planqués à proximité du garage, ils m'ont vu venir me renseigner et m'ont suivi. Je suis rentré chez moi pour déjeuner et, quand je suis sorti, ils ont pénétré dans l'appartement.

— Où ils espéraient trouver le corps?

— C'est ce que vous pensez aussi?

— Je ne sais pas... Pourquoi n'êtes-vous pas rentré chez vous depuis?

— Parce que je suppose qu'ils surveillent la maison.

— Peur, Lognon?

Les joues de Lognon devinrent aussi rouges que son nez bulbeux.

— Je prévoyais qu'on penserait cela. Mais ce n'est pas vrai. Je voulais seulement garder ma liberté de mouvements. J'ai pris une chambre dans un petit hôtel de la place Clichy et me suis tenu en contact téléphonique avec ma femme. Depuis, je travaille jour et nuit. J'ai visité plus d'une centaine d'hôtels, d'abord dans le quartier des Ternes, aux environs de l'avenue de Wagram, puis vers l'Opéra. Ma femme m'a décrit les deux hommes qui sont venus. Je suis allé au bureau des étrangers, à la Préfecture. Pendant ce temps, j'ai quand même abattu la besogne courante.

— En somme, vous espériez mener cette enquête tout seul?

— Au début, oui. J'ai cru que j'en étais capable. Maintenant, on fera de moi ce qu'on voudra.

Pauvre Lognon! Il y avait des moments où, malgré ses quarante-sept ans et son physique désagréable, il avait l'air d'un gamin boudeur, un gamin à l'âge ingrat, qui regarde hargneusement les grandes personnes en dessous.

— Votre femme a reçu ce matin une seconde visite et, ne parvenant pas à vous joindre, m'a appelé.

Découragé, l'inspecteur regardait Maigret avec l'air de dire qu'au point où il en était tout lui était égal.

— Il ne s'agissait pas d'un des deux hommes de mardi, mais d'un grand blond, presque roux...

— Bill Larner, grogna Lognon. C'est ainsi qu'on me l'a décrit.

— Il a rejoint un des autres en bas. Il a emporté au moins une photo de vous et probablement des papiers.

— Je suppose que je vais passer devant le conseil de discipline?

— C'est une question qu'il sera temps de discuter après.

— Après quoi?

— Après l'enquête.

Lognon fronça les sourcils, le visage toujours sombre, l'oeil incrédule.

— Pour le moment, le plus urgent est de retrouver ces gens-là, ne pensez-vous pas?

— Moi aussi?

Maigret ne répondit pas, et Lognon se moucha pendant trois bonnes minutes.

Quand il sortit du bureau, on aurait juré qu'il avait pleuré.

# CHAPITRE

# 2

*Où, bien qu'il soit question de personnages peu recommandables, l'inspecteur Lognon tient à montrer qu'il est un homme bien élevé.*

IL ETAIT PRES DE cinq heures quand Maigret obtint la communication, et il y avait longtemps que les lampes étaient allumées, les visiteurs de la journée avaient laissé des traces de mouillé et de boue sur les planchers. Est-ce que, par ce temps-là, le tabac a vraiment un autre goût, ou bien le commissaire était-il en train de s'enrhumer à son tour?

Il entendait l'opératrice, à l'autre bout du fil, annoncer en anglais, en prononçant son nom comme s'il avait au moins trois *t* à la fin :

— La Police Judiciaire de Paris. Le commissaire Maigret à l'appareil.

Puis, tout de suite, la voix jeune, joyeuse, cordiale de J. J. MacDonald :

— Hello! Jules!

Maigret avait fini tant bien que mal par s'y habituer au cours de sa tournée aux Etats-Unis, mais ça lui faisait encore quelque chose, et il dut avaler une goulée d'air avant de prononcer à son tour :

— Hello ! Jimmy !

MacDonald était, à Washington, un des principaux collaborateurs d'Edgar Hoover, le chef du F. B. I. C'est lui qui avait piloté Maigret dans la plupart des grandes villes américaines, un grand garçon aux yeux clairs qui avait presque toujours sa cravate dans sa poche et son veston sous le bras.

Tout le monde, là-bas, après dix minutes, s'appelait par son prénom.

— Comment va Paris ?

— Il pleut.

— Ici, nous avons un soleil magnifique.

— Dites-moi, Jimmy, j'ai besoin d'un renseignement et je ne voudrais pas gaspiller l'argent des contribuables. D'abord, avez-vous déjà entendu parler d'un certain Bill Larner ?

— *Sweet* Bill ?

— Je ne sais pas. Je ne connais que le nom Bill Larner. D'après son apparence, il aurait une quarantaine d'années.

Sweet Bill signifie Suave Bill.

— C'est probablement lui. Il y a environ deux ans qu'il a quitté le pays et il a passé quelques mois à La Havane avant de s'embarquer pour l'Europe.

— Dangereux ?

— Pas un tueur, si c'est ça que vous voulez dire, mais un des meilleurs voleurs à l'américaine. Il n'y en a pas deux comme lui pour escroquer cinquante dollars à un naïf en lui promettant un million. Ainsi, il est chez vous ?

— Il est à Paris.

— Peut-être, grâce aux lois françaises, parviendrez-vous à le coincer. Ici, il n'a jamais été possible de réunir assez de charges contre lui et nous avons chaque fois été obligés de le relâcher. Vous voulez que je vous fasse parvenir copie de son dossier?

— Si possible. Ce n'est pas tout. Je vais vous lire une liste de noms. Vous m'arrêterez s'il y en a que vous connaissez.

Maigret avait mis Janvier à l'ouvrage. La P. J. s'était procuré la liste de tous les passagers débarqués au Havre et à Cherbourg pendant les dernières semaines. Puis, par les inspecteurs qui avaient visé les passeports au débarquement, on avait obtenu des renseignements permettant d'éliminer un certain nombre de noms.

— Vous m'entendez bien?

— Comme si vous étiez dans le bureau voisin.

Au dixième nom, déjà, MacDonald arrêta son collègue français.

— Vous avez dit Cinaglia?

— Charles Cinaglia.

— Il est là-bas aussi?

— Il est débarqué il y a deux semaines.

— Celui-là, vous ferez bien de le tenir à l'oeil. Il a fait cinq ou six fois de la prison et, s'il avait ce qu'il mérite, il y a longtemps qu'il aurait passé par la chaise électrique. C'est un tueur. Malheureusement, nous n'avons jamais pu l'avoir que pour port d'arme prohibée, coups et blessures, vagabondage, etc...

— Comment est-il?

— Petit, râblé, toujours habillé avec recherche, un diamant au doigt, talons hauts. Nez cassé et oreilles en chou-fleur.

— Il semble être arrivé en même temps qu'un certain Cicero, qui occupait la cabine voisine de la sienne.

— Parbleu! Tony Cicero a travaillé avec Charlie à Saint-Louis. Seulement, lui ne se mouille pas, comme vous dites. C'est le cerveau.

— Vous avez de la documentation à leur sujet?

— De quoi monter une bibliothèque. Je vous envoie le plus intéressant. Aussi des photos. Cela partira par l'avion de ce soir.

Les autres noms ne disaient rien à MacDonald et, après un nouvel échange de « Jules » et de « Jimmy », la voix de Maigret cessa de résonner dans un bureau de Washington où il y avait du soleil et où il n'était pas encore l'heure de déjeuner.

Parce qu'il avait à parler d'une autre affaire au directeur de la P. J., Maigret sortit de son bureau, des papiers à la main. En traversant l'antichambre, il eut l'impression d'une présence dans un coin d'ombre, se retourna et fut surpris d'apercevoir dans un des fauteuils Lognon qui lui adressa un pâle sourire.

Il était près de six heures. Les bureaux commençaient à se vider, et le grand couloir toujours poussiéreux était désert.

Normalement, si Lognon avait à lui parler, il aurait dû lui téléphoner ou bien, s'il se trouvait dans le quartier, se faire annoncer, voire entrer dans le bureau des inspecteurs, car il appartenait plus ou moins à la maison, même s'il n'était pas du Quai.

Mais non! Il avait commis une faute et il éprouvait le besoin de se montrer plus humble que nature, de s'asseoir là comme un pauvre type qui attend qu'on veuille bien lui accorder un regard en passant.

Maigret faillit se fâcher, car il sentait que cette humilité-là était encore de l'orgueil. L'autre avait l'air de dire :

« Vous voyez ! J'ai démérité. Vous auriez pu m'envoyer devant le conseil de discipline. Vous avez été bon pour moi. Je le reconnais et je me mets à ma vraie place, celle d'un pauvre bougre à qui on fait la charité. »

C'était idiot ! C'était tout Lognon, et c'est peut-être à cause de cet aspect du personnage que c'était si décourageant de l'aider. Même son rhume de cerveau qu'il portait en quelque sorte comme une expiation !

Il était allé se changer. Son complet était aussi terne que celui du matin, ses souliers déjà détrempés. Quant au pardessus, il ne devait en posséder qu'un.

S'il avait fait des courses dans Paris, il les avait certainement faites en autobus, attendant ceux-ci aux coins des rues sous la pluie battante, *exprès*.

« Moi, je n'ai pas d'automobile à ma disposition ! Moi, je ne peux pas, je ne veux pas prendre de taxis parce que, en fin de mois, ma dignité m'empêche de discuter avec le caissier, qui semble toujours vous accuser de tricher sur les petits frais. Je ne triche pas. Je suis un honnête homme, un homme scrupuleux. »

Maigret lui lança :

— Vous voulez me parler ?

— J'ai le temps. Quand vous pourrez me recevoir.

— Allez donc m'attendre dans mon bureau.

— J'attendrai ici.

Imbécile! Lugubre imbécile! C'était pourtant
impossible de ne pas le plaindre. Il était certainement très malheureux. Il se rongeait.

Maigret quitta le bureau du chef vingt minutes plus tard, et Lognon n'avait pas bougé, pas
fumé; il était resté là, immobile dans l'antichambre
à s'égoutter comme un parapluie.

— Entrez. Asseyez-vous.

— J'ai pensé que je ferais probablement bien de
vous mettre au courant de ce que j'ai découvert.
Ce midi, vous ne m'avez pas donné d'instructions
précises et j'ai compris que je devais agir au
mieux.

Excès d'humilité, toujours. Il est vrai que, d'habitude, c'était par excès d'orgueil que Lognon se
rendait insupportable.

— Je suis retourné à l'*Hôtel Wagram*, où Bill
Larner n'a toujours pas remis les pieds, et j'ai
obtenu des renseignements à son sujet.

Maigret faillit dire : « Moi aussi. »

Mais à quoi bon?

— Il occupe la même chambre depuis près de
deux ans. Je l'ai visitée. Ses bagages y sont toujours. Il semble n'avoir emporté qu'une serviette
contenant ses papiers, car je n'ai trouvé ni lettre
ni passeport dans les meubles. Ses vêtements
portent la marque des meilleurs tailleurs. Il vivait
largement, donnait de gros pourboires et recevait
assez souvent des femmes, toutes du même genre,
de celles qu'on rencontre dans les boîtes de nuit.
D'après le concierge, il n'aime que les brunes,
plutôt petites, mais boulottes.

Pour un peu, Lognon aurait rougi.

— J'ai demandé si des amis venaient parfois le
voir. Il paraît que non. Par contre, il recevait de

nombreux coups de téléphone. Pas de courrier. Jamais. Un des employés de la réception croit qu'il dînait souvent dans un restaurant de la rue des Acacias, chez Pozzo, où il l'a vu entrer plusieurs fois.

— Vous êtes allé chez Pozzo?

— Pas encore. J'ai pensé que vous préféreriez y aller vous-même. J'ai interrogé les employés du bureau de poste, avenue Niel. C'est là que Larner recevait son courrier poste restante. Surtout des lettres des Etats-Unis. Il a encore pris ses lettres hier matin. On ne l'a pas vu aujourd'hui, mais il n'y a rien pour lui.

— C'est tout?

— Presque. Je me suis rendu à la Préfecture et, au service des étrangers, j'ai trouvé son dossier, car il a pris régulièrement sa carte de résident. Il est né à Omaha (je ne sais pas où c'est, mais c'est en Amérique) et est âgé de quarante-cinq ans.

Lognon tira de son portefeuille une de ces photographies format passeport dont les étrangers doivent déposer plusieurs exemplaires en demandant leur carte. A en croire cette photo, Bill Larner était un bel homme, à l'oeil vif et gai, bon vivant, à peine un peu empâté.

— Je n'ai rien découvert d'autre. J'ai cherché des empreintes dans mon appartement, mais ils n'en ont pas laissé. Pour entrer, ils se sont servis d'un passe-partout.

— Votre femme va mieux?

— Elle a eu une crise peu après mon arrivée. Elle est au lit.

Ne pouvait-il dire cela d'une voix plus naturelle? Il avait l'air de demander pardon de l'état

de santé de sa femme, comme s'il en était personnellement responsable et comme si le monde entier le lui reprochait.

— J'oubliais. Je me suis arrêté au garage de
la Porte Maillot pour montrer la photo. C'est bien
Larner qui a loué l'auto. Au moment de payer la
garantie, il a tiré une liasse de billets de la poche
de son pantalon. Il paraît qu'il n'y avait que des
billets de mille. Comme la voiture était justement
là je l'ai examinée. Ils l'ont lavée, mais on voit
encore, sur la banquette arrière, des taches qui
sont probablement des taches de sang.

— Pas de trace de balle?

— Je n'en ai pas trouvé.

Il se moucha de la même façon que certaines
femmes qui ont eu des malheurs se mettent tout
à coup, en parlant, à verser quelques larmes.

— Qu'est-ce que vous comptez faire à présent?
questionna le commissaire en évitant de le regarder.

De voir le nez rouge de Lognon et ses yeux
humides, il en avait les paupières qui picotaient,
et il lui semblait qu'il était en train d'attraper
son rhume. Il ne pouvait s'empêcher d'avoir pi-
tié. En quelques heures, sous la pluie froide,
l'inspecteur venait de parcourir plusieurs fois Paris dans presque toute sa longueur. Quelques coups
de téléphone auraient donné à peu près les mêmes
résultats, mais était-ce la peine de le lui dire?
N'avait-il pas besoin de se punir?

— Je ferai ce que vous me direz de faire. Je vous
suis reconnaissant de me permettre de participer
à l'enquête, car je n'y ai aucun droit.

— Votre femme vous attend pour dîner?

— Elle ne m'attend jamais. Même si elle m'attendait...

On avait envie de lui crier: « Assez! Soyez un homme, sacrebleu! »

Au contraire, comme malgré lui, Maigret lui fit une sorte de cadeau.

— Ecoutez, Lognon. Il est maintenant six heures et demie. Je vais téléphoner à ma femme que je ne rentre pas, et nous dînerons ensemble chez Pozzo. Peut-être, là-bas, trouverons-nous quelque chose?

Il passa à côté donner quelques instructions à Janvier qui était de garde, endossa son gros pardessus, et, quelques minutes plus tard, ils attendaient un taxi au coin du quai. Il pleuvait toujours. Paris donnait l'impression d'un tunnel qu'on traverse en train : les lumières ne paraissaient pas naturelles, les gens, qui rasaient les murs, semblaient fuir un danger mystérieux.

Chemin faisant, Maigret eut une idée, fit arrêter la voiture devant un bistrot.

— Un coup de téléphone à donner. Cela nous permettra de prendre l'apéritif sur le pouce.

— Vous avez besoin de moi?

— Non. Pourquoi?

— J'aime mieux vous attendre dans la voiture. La boisson me brûle l'estomac.

C'était un petit bar pour chauffeurs, tout chaud, tout enfumé, avec le téléphone près de la cuisine.

— Le service des étrangers? C'est toi, Robin? Bonsoir, vieux. Veux-tu voir si les deux noms que je vais te citer figurent à tes registres?

Il dicta les noms de Cinaglia et de Cicero.

— J'ai simplement besoin de savoir s'ils ont pris une carte de résident.

Il n'en était rien. Les deux hommes n'étaient pas passés par la Préfecture, ce qui laissait supposer qu'ils n'avaient pas l'intention de rester longtemps à Paris.

— Rue des Acacias !

Il avait un peu l'impression que c'était sa journée de bonté. Dans le taxi, il mettait Lognon au courant de ses démarches.

— Les deux bruns qui sont allés mardi place Constantin-Pecqueur semblent être Charlie Cinaglia et Cicero. Ils sont évidemment de mèche avec Larner, qui leur a procuré la voiture, et c'est Larner qui a rendu la seconde visite à votre appartement. Sans doute parce que les deux autres ne comprennent pas le français.

— J'y ai pensé aussi.

— La première fois, ils ne cherchaient pas des papiers, mais un homme, mort ou vivant, celui qu'ils ont lancé sur le trottoir de la rue Fléchier. C'est pour cela qu'ils ont regardé sous le lit et dans les placards. N'ayant rien trouvé, ils ont voulu savoir qui vous étiez, où vous trouver, et ils ont envoyé Larner, qui a fouillé les tiroirs.

— Maintenant, ils n'ignorent plus que j'appartiens à la police.

— Cela doit les embêter. Sans doute aussi le silence des journaux les inquiète-t-il.

— Vous ne craignez pas qu'ils quittent Paris ?

— A tout hasard, j'ai alerté les gares, les aérodromes et la police des routes. J'ai lancé leur signalement. Plus exactement, Janvier est en train de s'en charger.

Même dans l'ombre du taxi, il devinait le léger sourire de Lognon.

« Et voilà pourquoi on parle du grand Maigret !

Tandis qu'un pauvre inspecteur comme moi mène ses enquêtes en traînant ses semelles dans les rues, le fameux commissaire n'a qu'à téléphoner à Washington, commander à des tas de collaborateurs, alerter les gares et les gendarmeries ! »

Brave Lognon ! Maigret avait envie de lui donner une bonne tape sur le genou et de lui lancer: « Enlève donc ton masque ! »

Au fond, il aurait peut-être été malheureux de ne plus mériter le titre d'Inspecteur Malgracieux. Il avait besoin de se lamenter et de grogner, besoin de se sentir l'homme le plus malchanceux de la terre.

Le taxi s'arrêtait, dans l'étroite rue des Acacias, en face d'un restaurant à la fenêtre et à la porte ornées de rideaux à carreaux rouges. Dès l'entrée, Maigret reçut une bouffée du New-York qu'il avait connu en compagnie de Jimmy Mac-Donald. La boîte de Pozzo ne ressemblait pas à un restaurant de Paris, mais à un de ceux qu'on trouve dans la plupart des rues aux environs de Broadway. Il y régnait une lumière très douce, à laquelle il fallait s'habituer, car, au premier abord, elle permettait à peine de distinguer les objets, et les visages restaient flous dans une sorte de clair-obscur.

De hauts tabourets étaient rangés le long du bar en acajou, et, sur les étagères, entre les bouteilles, il y avait de petits drapeaux américains, italiens et français. Un poste de radio, ou un *pick-up,* jouait en sourdine. Neuf ou dix tables étaient garnies de nappes à carreaux rouges comme les rideaux et, sur les murs couverts de boiseries, étaient accrochées des photographies de boxeurs et

d'artistes, surtout de boxeurs, la plupart dédicacées.

A cette heure, la salle était presque vide. Deux
hommes, au comptoir, jouaient au poker d'as
avec le barman. Un couple, au fond, mangeait des
spaghetti sous le regard rêveur d'un garçon qui
se tenait près du guichet communiquant avec la
cuisine.

On ne se précipita pas au-devant d'eux. Les
regards convergèrent un instant vers l'étrange
groupe constitué par Maigret et le maigre et lugubre Lognon, et il y eut un silence d'une qualité
spéciale, à croire que quelqu'un avait annoncé, au
moment où ils ouvraient la porte : « Vingt-deux !
Les flics ! »

Maigret hésita à s'installer au bar, puis choisit
d'aller s'asseoir à la table la plus proche, après
s'être débarrassé de son manteau et de son chapeau.
Il régnait une bonne odeur de cuisine épicée, avec
un relent prononcé d'ail. Les dés recommen-
çaient à rouler sur le comptoir sans que le barman cessât d'observer ses nouveaux clients d'un
oeil plutôt amusé.

Sans un mot, le garçon tendit la carte.

— Vous aimez les spaghetti, Lognon ?

— Je prendrai ce que vous prendrez.

— Alors, pour commencer, deux spaghetti.

— Comme vin ?

— Un fiasco de chianti.

Son regard errait sur les photographies, et, à
certain moment, il se leva pour aller en examiner
une de plus près. Elle devait dater de nombreuses
années déjà. Elle représentait un jeune boxeur
râblé, portait une dédicace au nom de Pozzo et
était signée: Charlie Cinaglia.

L'homme, au bar, ne l'avait toujours pas quitté des yeux. Sans cesser de jouer, il lança, de loin:

— Intéressé à la boxe, hein?

Et Maigret de répondre:

— Peut-être à certains boxeurs. C'est vous Pozzo?

— Je suppose que c'est vous, Maigret?

Tout cela tranquillement, nonchalamment, comme des joueurs de tennis qui échangent des balles avant la partie.

Quand le garçon posa la bouteille de chianti sur la table, Pozzo dit encore :

— Je croyais que vous ne buviez que de la bière.

Il était petit, presque chauve, avec quelques cheveux très noirs ramenés sur le sommet du crâne, et il avait de gros yeux en bille, un nez aussi bulbeux que Lognon, une grande bouche élastique de clown. Avec les deux hommes installés en face de lui, il parlait italien. Tous les deux étaient vêtus avec une recherche exagérée, et Maigret aurait sans doute trouvé leurs noms dans ses dossiers. Le plus jeune se droguait visible-ment.

— Servez-vous, Lognon.

— Après vous, monsieur le commissaire.

Peut-être, réellement, Lognon n'avait-il jamais mangé de spaghetti? Peut-être le faisait-il ex-près? Il imitait consciencieusement les gestes de Maigret, avec la mine d'un invité qui veut à toutes forces faire plaisir à son hôte.

— Vous n'aimez pas ça?

— Ce n'est pas mauvais du tout.

— Vous voulez que je commande autre chose?

— Jamais de la vie. Cela doit être fort nourris-sant.

Les spaghetti s'obstinaient à glisser de sa four-
chette, et la jeune femme qui mangeait au fond
de la salle ne put s'empêcher d'éclater de rire.
Au bar, la partie de poker d'as se termina, les
deux clients serrèrent la main de Pozzo, jetèrent
un coup d'oeil à Maigret et se dirigèrent vers la
porte, au ralenti, comme pour montrer qu'ils n'a-
vaient rien à craindre, rien à se reprocher.

— Pozzo!

— Oui, commissaire...

L'Italien était encore plus petit qu'il le paraissait derrière son bar. Il avait surtout les jambes
très courtes, et cela se remarquait d'autant plus
qu'il portait des pantalons trop larges.

Il s'approcha de la table des policiers, un sourire
commercial aux lèvres, une serviette blanche à
la main.

— Ainsi, vous aimez la cuisine italienne?

Au lieu de répondre, Maigret jeta un coup
d'oeil à la photographie du boxeur.

— Il y a longtemps que vous avez vu Charlie?

— Vous connaissez Charlie? Vous êtes donc
allé en Amérique?

— Et vous?

— Moi? J'y ai vécu vingt ans.

— A Saint-Louis?

— A Chicago, à Saint-Louis, à Brooklyn.

— Quand Charlie est-il venu ici avec Bill
Larner?

Plus que jamais cela rappelait à Maigret son
séjour aux Etats-Unis, et il sentait bien que Lognon écoutait cette conversation avec une certaine
stupeur.

Cela ne se passait pas, en effet, comme cela
aurait dû se passer normalement en France. L'at-

titude de Pozzo n'était pas celle d'un propriétaire
de restaurant plus ou moins louche interrogé par
la police.

Il était debout devant eux, familier, à son aise,
de l'ironie plein ses gros yeux. Avec une moue
comique, il se gratta la tête.

— Ainsi, vous connaissez Bill aussi ! Sweet
Bill, hein ? Un type bien sympathique.

— Un de vos bons clients, non ?

— Vous croyez ?

Sans vergogne, il s'assit à leur table.

— Un verre, Angelino.

Il se servit du chianti.

— N'ayez pas peur. La bouteille est à mon
compte. Le dîner aussi. Ce n'est pas tous les jours
que j'ai l'honneur de recevoir le commissaire Maigret.

— Vous vous amusez bien, Pozzo ?

— Je m'amuse toujours. Ce n'est pas comme
votre ami. Il a perdu sa femme ?

Il contemplait Lognon avec un air de fausse com-
misération.

— Angelino ! Tu serviras à ces messieurs des
escalopes à la florentine. Dis à Giovanni qu'il les
prépare comme pour moi. Vous aimez les escalopes
à la florentine, commissaire ?

— J'ai rencontré Charlie Cinaglia il y a trois
jours.

— Vous arrivez de New-York par avion ?

— Charlie était à Paris.

— Vraiment ? Vous voyez comment sont ces
gens-là. Il y a dix ans, j'étais son petit Pozzo par-
ci, son petit Pozzo par-là. Je crois même qu'il
m'appelait Papa Pozzo. Maintenant, il est à Paris
et il ne vient même pas me voir !

— Bill Larner non plus? Ni Tony Cicero?

— Quel est le dernier nom que vous avez dit?

Il n'essayait pas de cacher qu'il jouait la comédie. Au contraire. Il exagérait, exprès avec plus que jamais l'air d'un clown qui fait son numéro. Seulement, quand on le regardait attentivement, on remarquait qu'en dépit de ses grimaces et de ses plaisanteries ses yeux restaient durs et en alerte.

— C'est drôle. J'ai connu beaucoup de Tony, mais je ne me souviens pas d'un Cicero.

— De Saint-Louis.

— Vous êtes allé à Saint-Louis? C'est là que je suis devenu citoyen américain. Car je suis citoyen américain.

— Seulement, vous vivez en ce moment en France. Et le gouvernement français pourrait fort bien vous retirer votre licence.

— Pourquoi? Mon établissement ne satisfait-il pas à toutes les règles d'hygiène? Vous pouvez questionner le commissariat du quartier. Jamais de bagarres. Pas de retape non plus. Au fait, le commissaire, que vous devez connaître, me fait de temps en temps l'honneur de venir dîner avec sa dame. Il n'y a pas grand monde à cette heure-ci. Notre clientèle vient plus tard. Vous me direz des nouvelles de ces escalopes.

— Vous avez le téléphone?

— Bien entendu. La cabine est au fond, à gauche, la porte à côté des lavabos.

Maigret se leva et alla s'y enfermer, composa le numéro de la P. J., parla à voix presque basse.

— Janvier? Je suis chez Pozzo, le restaurant de la rue des Acacias. Veux-tu prévenir la table d'écoute qu'on mette quelqu'un sur la ligne pen-

dant toute la soirée? Tu as le temps. Ce ne sera
pas avant une demi-heure. Qu'on note toutes les
conversations, surtout si un des trois noms sui-
vants sont prononcés.

Il dicta les noms de Cinaglia, de Cicero et de
Bill Larner.

— Rien de nouveau?

— Rien. On fait des recherches dans les fiches
des garnis.

Quand il rentra dans la salle, il trouva Pozzo
qui essayait en vain d'arracher un sourire à Lognon.

— Ainsi, ce n'est pas pour ma cuisine que vous
êtes venu me voir, commissaire?

— Ecoutez, Pozzo. Charlie et Cicero sont à
Paris depuis deux semaines, vous le savez aussi
bien que moi. Ils ont rencontré Larner probablement ici.

— Je ne connais pas Cicero, mais, pour ce qui
est de Charlie, il faut croire qu'il a bien changé,
puisque je ne l'ai pas reconnu.

— Ça va! Pour certaines raisons, j'ai envie
d'avoir une conversation en tête à tête avec ces
messieurs.

— Tous les trois?

— Il s'agit de quelque chose de sérieux, d'un
assassinat.

Pozzo se signa comiquement.

— Compris? Nous ne sommes pas en Amérique,
où la preuve est presque toujours difficile à faire.

— Vous me peinez, commissaire. Vrai, je ne
m'attendais pas à cela de votre part.

Et, tendant son verre:

— A votre santé! Moi qui étais tellement heureux de vous rencontrer! J'avais entendu parler

de vous, comme tout le monde. Je me disais : « Ça,
c'est un homme qui connaît la vie. »

» Vous venez me voir et vous me traitez comme
si vous ne saviez pas que Pozzo n'a jamais fait
de mal à personne. Vous me parlez d'un petit
boxeur que je n'ai pas vu depuis dix ou quinze
ans et vous insinuez je ne sais quoi.

— Suffit ! Je ne vais pas discuter aujourd'hui.
Je vous ai prévenu. J'ai dit: un assassinat.

— Curieux que je n'ai rien lu dans les journaux. Qui a-t-on tué ?

— Peu importe. Si Charlie et Cicero sont venus
ici, si vous avez la moindre idée de l'endroit où
ils se trouvent, je saurai vous faire inculper de
complicité.

Pozzo hocha tristement la tête.

— Me faire ça, à moi !

— Ils sont venus ?

— Quand prétendez-vous qu'ils ont franchi mon
seuil ?

— Ils sont venus ?

— Il défile tant de monde ! A certaines heures,
toutes les tables sont occupées, et des gens atten-
dent leur tour dans la rue. Je ne peux pas tout
voir.

— Ils sont venus ?

— Ecoutez. Nous allons faire un marché, et
vous verrez que Pozzo est un véritable ami. Je
vous promets que, s'ils mettent les pieds ici, je
vous téléphonerai immédiatement. Est-ce honnête, ça ? Dites-moi à quoi ressemble ce Cicero.

— C'est inutile.

— Alors, comment voulez-vous que je le recon-
naisse ? Est-ce que je peux demander leur passeport à mes clients ? Est-ce que je peux ? Je suis

marié, père de famille. J'ai toujours respecté les
lois du pays où je me trouvais. Je peux bien
vous le dire : j'ai fait ma demande pour être naturalisé Français.

— Après avoir été naturalisé Américain ?

— C'était une erreur. Je n'aime pas le climat,
là-bas. Je suis sûr que votre compagnon me comprend, lui.

Il regardait Lognon avec une féroce ironie, et
Lognon se mouchait longuement, ne sachant où
poser son regard.

— Garçon ! appela Maigret.

— Je vous ai déjà dit que vous étiez mon invité.

— Je regrette, mais je n'accepte pas.

— Je considérerai cela comme une offense.

— Ce sera comme vous voudrez. Garçon !
Apportez-moi l'addition.

Au fond, Maigret était moins fâché qu'il en
avait l'air. Pozzo était coriace, et cela ne lui déplaisait pas. Cela ne lui déplaisait pas non plus
d'avoir affaire à des gaillards contre qui la police
américaine s'était cassé les dents. De vrais durs,
qui jouaient le jeu à fond. MacDonald n'avait-il
pas dit que Cinaglia était un tueur ? Ce ne serait
pas désagréable, dans quelques jours, de téléphoner à Washington, d'un ton détaché : « Allô !
Jimmy... Je les ai eus ! »

Maigret n'avait pas la moindre idée de l'identité de l'homme qu'on avait lancé sur le trottoir
de la rue Fléchier, presque aux pieds de l'inspecteur Lognon. Il ne savait même pas si l'inconnu
était mort ou non.

Quant à la seconde voiture qui avait pris le

cadavre ou le blessé en charge, elle était encore plus anonyme.

Il y avait deux groupes dans l'affaire, pour autant qu'on en pouvait juger. Le premier comprenait au moins Charlie Cinaglia, Tony Cicero et Larner, qui avait loué l'auto et fouillé les papiers de Lognon.

Mais qui occupait la seconde voiture? Pourquoi ceux-là avaient-ils couru le risque de ramasser un corps sur le trottoir?

S'il était mort, qu'avait-on fait du cadavre?

S'il ne l'était pas, où le soignait-on?

C'était une des rares enquêtes où, au début, on ne possédait aucun indice. Ces gens-là, apparemment, avaient franchi l'Atlantique pour régler des affaires auxquelles la police française ne connaissait rien.

Le seul point de repère, pour le moment, était le bar-restaurant de Pozzo, avec son atmosphère new-yorkaise si curieusement transplantée à deux pas de l'Arc de Triomphe.

— J'espère qu'un jour je vous revaudrai cela! grommela l'Italien comme Maigret se levait après avoir payé.

— Ce qui veut dire?

— Je veux dire, commissaire, qu'un jour, j'en ai la conviction, vous me permettrez de vous offrir un bon dîner sans me faire l'injure d'ouvrir votre portefeuille.

Sa large bouche souriait, mais ses yeux ne souriaient pas. Il reconduisait les deux hommes jusqu'à la porte, s'offrait le malin plaisir de donner une claque amicale sur l'épaule de Lognon.

— Je vous appelle un taxi?

— Ce n'est pas la peine.

— Il est vrai qu'il ne pleut plus. Eh bien! bonsoir, commissaire. J'espère que ce monsieur se consolera de la perte de sa femme.

La porte se referma enfin, et les policiers se mirent à marcher le long du trottoir. Lognon ne disait rien. Peut-être, au fond, jubilait-il d'avoir vu Maigret traité comme un novice.

— J'ai fait brancher leur ligne sur la table d'écoute, lui dit le commissaire comme ils allaient atteindre le coin de la rue.

— Je m'en suis douté.

Maigret fronça les sourcils. Si Lognon avait eu cette idée-là en le voyant se diriger vers la cabine, à plus forte raison un homme comme Pozzo devait-il l'avoir eue aussi.

— Dans ce cas, il ne téléphonera pas. Il est plus probable qu'il enverra un message.

La rue était déserte. Un garage, en face, était fermé. L'avenue Mac-Mahon luisait encore de pluie, et on n'y voyait qu'un taxi en maraude, deux ou trois silhouettes sur le trottoir, là-haut, près de la Grande-Armée.

— Je crois, Lognon, que vous feriez mieux de surveiller la maison. Comme vous n'avez pas beaucoup dormi ces jours-ci, je vous enverrai tout à l'heure quelqu'un pour vous relayer.

— Je suis de service de nuit toute la semaine.

— Mais vous êtes supposé avoir dormi pendant la journée et vous ne l'avez pas fait.

— Cela n'a pas d'importance.

Toujours aussi exaspérant! Maigret était obligé de déployer avec lui des trésors de patience qu'il n'aurait pas eus pour Janvier ou pour Lucas, pour n'importe lequel de ses inspecteurs.

— Dès qu'on viendra, vous rentrerez chez vous
vous coucher.

— Si c'est un ordre...

— C'est un ordre. Au cas où vous devriez vous
éloigner avant ça, faites l'impossible pour passer
un coup de fil au Quai.

— Bien, monsieur le commissaire.

Maigret le laissa au coin de la rue, marcha rapidement jusqu'à l'avenue des Ternes, où il entra
dans un bar, demanda un jeton.

— Janvier? Pas de nouvelles de la table d'écoute? Bon! Qui as-tu avec toi? Torrence? Veux-tu
lui dire de sauter dans un taxi et de se rendre
rue des Acacias. Il trouvera Lognon qui fait une
planque et il le remplacera. Lognon le mettra au
courant.

Il se fit conduire chez lui en taxi, but un petit
verre de prunelle en bavardant avec sa femme.

— Mme Lognon a téléphoné.

— A quel sujet?

— Elle n'a pas de nouvelles de son mari depuis
le début de l'après-midi et s'inquiète. Il paraît
qu'il n'avait pas l'air dans son assiette.

Il haussa les épaules, faillit téléphoner. Mais
non! C'en était assez. Il se coucha, dormit, fut
réveillé par l'odeur du café et, tout le temps qu'il
employa à sa toilette, ne put s'empêcher de penser
à Lognon.

Quand il arriva, à neuf heures, au Quai des
Orfèvres, Lucas avait remplacé Janvier qui était
allé se coucher.

— Pas de nouvelles de Torrence?

— Il a téléphoné hier soir, vers dix heures. Il
paraît qu'il n'a pas trouvé Lognon rue des Acacias.

— Où est-il?

— Torrence? Toujours là-bas. Il vient d'appeler à nouveau pour demander s'il doit continuer la planque. Je lui ai dit de téléphoner dans quelques minutes.

Maigret se fit donner le numéro de l'appartement des Lognon.

— Ici, le commissaire Maigret.

— Vous avez des nouvelles de mon mari? Je n'ai pas dormi de la nuit...

— Il n'est pas chez vous?

— Comment? Vous ne savez pas où il se trouve?

— Et vous?

C'était absurde. Il fallait maintenant la rassurer, lui raconter n'importe quoi.

Lognon avait disparu entre le moment où Maigret l'avait quitté au coin de la rue des Acacias et le moment où Torrence était arrivé au même endroit pour le remplacer.

Il n'avait pas téléphoné, n'avait plus donné signe de vie.

— Avouez, monsieur le commissaire, que vous pensez comme moi qu'il lui est arrivé malheur... J'ai toujours su que cela finirait ainsi... Et je suis toute seule, impotente, à mon cinquième étage, d'où je ne peux même pas bouger !...

Dieu sait ce qu'il lui dit pour la calmer. Il finissait par en être écoeuré.

# CHAPITRE

# 3

*Où Pozzo donne son avis sur plusieurs questions,*
*en particulier sur l'amateurisme.*

LES MAINS DANS LES
poches du pardessus, Maigret attendait, furieux,
en battant la semelle et en essayant de voir, pardessus les rideaux à carreaux, ce qui se passait
au fond du restaurant. Il avait été surpris, en
arrivant rue des Acacias, de ne pas trouver le
bec-de-cane sur la porte de chez Pozzo. Cependant,
il y avait de la lumière à l'intérieur, juste une
ampoule qui brûlait tout au fond de la salle.

Il avait frappé à la vitre, deux fois, trois fois,
et il lui avait semblé que quelqu'un bougeait. Il
ne pleuvait pas ce matin-là. Il faisait si froid
qu'on aurait dit qu'il allait geler, et le ciel avait
la couleur d'un toit de zinc. Le monde paraissait
dur et méchant.

— Il est chez lui, mais cela m'étonnerait qu'il
vous ouvre, dit la marchande de légumes d'à côté.
C'est l'heure où il fait son ménage et il n'aime pas
être dérangé. Vers onze heures, seulement, il
ouvrira, à moins que vous sachiez comment frapper.

Maigret essaya à nouveau, se haussa sur la pointe des pieds afin de montrer une partie de son visage par-dessus le rideau. Il n'avait pas l'air commode, ce matin. Il n'aimait pas qu'on touche à un de ses hommes, même s'il s'agissait d'un inspecteur du IX° arrondissement et si cet homme-là était Lognon.

Une silhouette, qui, de loin, rappelait celle d'un ours, commença enfin à se mouvoir dans la pénombre, plus nette à mesure qu'elle approchait de la porte, et bientôt Maigret distingua le visage de Pozzo, tout près du sien, de l'autre côté de la vitre. Alors seulement, l'Italien décrocha une chaîne, tourna une clef, tira la porte à lui.

— Entrez, dit-il avec l'air de s'attendre à la visite du commissaire.

Il portait un vieux pantalon au derrière pendant, une chemise bleu pâle dont il avait retroussé les manches, et traînait les pieds dans des pantoufles rouges. Comme indifférent à la présence de Maigret, il se dirigeait vers le fond de la pièce, là où une ampoule était allumée, et se rasseyait à sa place devant les restes d'un copieux petit déjeuner.

— Mettez-vous à l'aise. Vous désirez une tasse de café?

— Non.

— Un petit verre?

— Non plus.

Pas surpris du tout, il hocha la tête comme pour dire: « Fort bien ! Aucune offense ! »

Il avait le teint un peu gris, des poches sous les yeux. Au fait, ce n'était pas tant à un clown qu'il ressemblait qu'à certains vieux acteurs comiques dont le visage, à force de grimacer, est devenu

caoutchouteux. Ces acteurs-là, aussi, à force de
traîner leur bosse et d'en voir de toutes les cou-
leurs, acquièrent ce regard un peu vague, d'une
suprême indifférence.

Dans un coin, contre le mur, il y avait des ba-
lais et un seau. Par le guichet, on apercevait la
cuisine, d'où venait une odeur de bacon.

— Je croyais que vous étiez marié et que vous
aviez des enfants.

Et Pozzo, comme s'il jouait une scène au ralenti,
se grattait la tête, allait prendre un cigare dans
une boîte, sur une étagère, l'allumait et en soufflait
la fumée presque au visage de Maigret.

— Votre femme vit au Quai des Orfèvres?
prononça-t-il enfin.

— Vous ne vivez pas ici?

— Je pourrai vous répondre que cela ne vous
regarde pas. Je pourrais même vous flanquer à
la porte sans que vous ayez à vous en plaindre.
Nous sommes bien d'accord? Hier soir, je vous
ai reçu gentiment et j'ai essayé de vous offrir à
dîner. Non pas que j'aime les flics. Il n'y a pas
d'offense non plus à vous dire ça. Mais vous êtes
quelqu'un dans votre métier, et je respecte les
gens qui sont quelqu'un dans leur partie. Bon!
Vous avez refusé d'être mon hôte. C'est votre affaire. Ce matin, vous me dérangez pour me poser
des questions.

» J'ai le choix entre répondre ou ne pas répondre.

— Vous préférez que je vous emmène à la P.
J.?

— Ça, c'est une autre histoire, et je serais
curieux de voir comment elle se passerait. Vous
oubliez que je suis encore un citoyen américain.

Avant de vous suivre, j'aurais soin de téléphoner à mon consul.

Il s'était assis devant son assiette vide, un coude sur la table, en homme qui se sent chez lui, et il observait Maigret à travers la fumée de son cigare.

— Voyez-vous, monsieur Maigret, on vous a gâté. Quelqu'un m'a rappelé, hier soir, après votre départ, que vous êtes allé en Amérique. J'ai eu de la peine à le croire. Je me demande ce que vos collègues de là-bas vous ont montré. Ils ont pourtant dû vous dire que cela ne se passait pas tout à fait comme ici. Figurez-vous que je suis chez moi. Vous comprenez ce mot-là? Supposez que quelqu'un entre dans votre appartement et se mette à poser des questions à votre femme...

» Bon! Ceci, simplement, pour que vous sachiez à qui vous avez affaire, pour que vous sachiez, surtout, que, si je vous écoute, si je vous réponds, c'est que je le veux bien. Ce n'est donc pas la peine, comme hier soir, de menacer de me retirer ma licence.

» Maintenant, pour en revenir à votre question, je n'ai aucune raison de vous cacher que ma femme et mes enfants vivent à la campagne, parce que ce n'est pas leur place ici, ni que, la plupart du temps, je couche dans une pièce, à l'entresol, enfin que, le matin, c'est moi, qui fais le ménage.

— Comment avez-vous prévenu Charlie et Larner?

— Pardon?

— Hier, après mon départ, vous avez mis Charlie et ses amis au courant de ma visite.

— Vraiment?

— Vous n'avez pas téléphoné.

— Je suppose que mon téléphone était branché
sur la table d'écoute?

— Où est Charlie?

Pozzo soupira, regarda de loin la photographie
de Cinaglia en boxeur.

— Hier, reprit Maigret, je vous ai prévenu
que l'affaire était sérieuse. Elle l'est davantage ce
matin, car l'inspecteur qui m'accompagnait a disparu.

— Celui qui paraissait si gai?

— Je l'ai laissé, en sortant d'ici, au coin de la
rue. Une demi-heure plus tard, il n'y était plus et
il n'a pas reparu. Vous comprenez ce que cela
signifie?

— Je suis censé comprendre?

Maigret parvenait à rester calme, mais il était
durci, lui aussi, et son regard ne quittait pas le
visage de Pozzo.

— Je veux savoir comment vous les avez alertés. Je veux savoir où ils se cachent. Bill Larner
n'a pas remis les pieds à l'*Hôtel Wagram*. Les
deux autres se terrent quelque part, probablement
dans Paris, plus que probablement pas loin d'ici,
puisque vous avez pu leur faire parvenir un message en quelques minutes sans vous servir du téléphone. Vous feriez mieux de vous mettre à table,
Pozzo. A quelle heure le garçon arrive-t-il?

— A midi.

— Et le cuisinier?

— Trois heures. Nous ne servons pas le déjeuner.

— Ils seront questionnés tous les deux.

— C'est votre affaire, n'est-ce pas?

— Où est Charlie?

Pozzo, qui avait l'air de réfléchir, se leva lentement, en soupirant, comme à regret, se dirigea vers la photographie du boxeur, qu'il examina avec attention.

— Au cours de votre voyage aux Etats-Unis, êtes-vous passé par Chicago, par Détroit, par Saint-Louis?

— J'ai parcouru tout le Middle-West.

— Vous avez sans doute remarqué que les gars, là-bas, ne sont pas des premiers communiants, non? C'était avant ou après la prohibition?

— Après.

— Bon! Eh bien! pendant la prohibition, c'était encore cinq fois, dix fois plus dur.

Maigret attendait, ne sachant où il voulait en venir.

— J'ai travaillé cinq ans comme maître d'hôtel à Chicago avant de me mettre à mon compte à Saint-Louis. J'ai ouvert un restaurant dans le genre de celui-ci, où fréquentaient des gens de toute sorte, des politiciens, des boxeurs, des gangsters et des artistes. Or, monsieur Maigret, je ne me suis jamais fâché avec personne, pas même avec le lieutenant de police qui venait de temps en temps boire son double whisky à mon bar. Savez-vous pourquoi?

Il ménageait ses effets, à la façon d'un vieux cabotin.

— Parce que je ne me suis jamais occupé des affaires des autres. Pourquoi voudriez-vous qu'une fois à Paris je change de principes? Votre spaghetti n'était pas bon? De cela, je suis prêt à discuter avec vous.

— Mais vous refusez de me dire où est Charlie?

— Ecoutez, Maigret...

Pour un peu, il l'aurait appelé Jules, lui aussi. C'est tout juste s'il ne prenait pas un ton protecteur, ne lui posait pas la main sur l'épaule.

— A Paris, vous êtes une manière de grand homme, et on prétend que vous finissez presque toujours par gagner la partie. Voulez-vous que je vous dise pourquoi?

— Ce que je veux, c'est l'adresse de Charlie.

— Ne parlons pas de ça. Nous nous occupons de choses sérieuses. Vous gagnez la partie parce que vous n'avez en face de vous que des amateurs. » Là-bas, il n'y a pas d'amateurs. Et, même avec le troisième degré, il est bien rare qu'on y fasse parler quelqu'un qui est décidé à se taire.

— Charlie est un tueur.

— Vraiment? Je suppose que c'est le F. B. I. qui vous a raconté ça? Est-ce que le F. B. I. vous a dit aussi pourquoi, dans ce cas, on n'a pas encore envoyé Charlie à la chaise électrique?

Maigret avait décidé de le laisser parler et, plusieurs fois, il lui arriva de ne pas écouter, regardant autour de lui, les sourcils froncés. Il suivait son idée. Charlie et ses compagnons avaient certainement été avertis de sa présence et de celle de Lognon rue des Acacias. Le téléphone n'avait pas été employé. Si quelqu'un avait quitté le restaurant pour les prévenir, ce quelqu'un n'avait pas dû aller loin. D'autre part, si Lognon avait vu sortir le garçon, par exemple, ou le cuisinier, ou Pozzo lui-même, il se serait méfié.

— Voilà toute la différence, Maigret, la différence qui existe entre des amateurs et des professionnels. Ne vous ai-je pas dit tout à l'heure que je respecte les gens qui sont quelqu'un dans leur partie?

— Y compris les tueurs?

— Vous m'avez raconté hier une histoire qui ne me regarde pas et que j'ai déjà oubliée. Vous venez ce matin m'en réciter un autre chapitre que je refuse de connaître. Vous êtes un homme bien, probablement un brave homme. Vous jouissez d'une jolie réputation. J'ignore si ces messieurs du F. B. I. vous ont demandé de vous occuper de cette affaire, mais j'en doute. Alors, je vous dis ceci: « *Laissez tomber!* »

— Je vous remercie de l'avis.

— Il est sincère. Quand Charlie boxait à Chicago, il était dans la catégorie poids plume, et l'idée ne lui est jamais venue de s'en prendre à un poids lourd.

— Quand l'avez-vous revu?

Pozzo se tut avec un sorte d'ostentation.

— Je suppose que vous ne pouvez pas me dire non plus le nom des deux clients avec lesquels, hier, vous jouiez au poker d'as?

Le visage de Pozzo exprima l'étonnement.

— Suis-je censé connaître le nom, l'adresse et la situation de famille des consommateurs?

Maigret s'était levé comme l'autre l'avait fait un peu plus tôt et, avec le même air distrait, se dirigeait vers le bar, passait derrière et se penchait sur les rayonnages qui se trouvaient en dessous.

Pozzo le suivait des yeux, en apparence indifférent.

— Quand je retrouverai un de ces clients-là, voyez-vous, j'ai dans l'idée que les choses commenceront à aller mal pour vous.

Maigret montrait un bloc-notes qu'il venait de trouver, un crayon.

— Je n'ignore plus comment vous avez averti

Charlie, ou Bill Larner, ou Cicero, peu importe
lequel, puisqu'ils travaillent ensemble. Le tort
que j'ai eu, c'est de penser que cela avait eu lieu
après mon départ. Or cela s'est passé avant. En
nous voyant entrer, l'inspecteur et moi, vous avez
su de quoi il s'agissait. Vous avez eu le temps,
pendant que nous commandions notre dîner, de
griffonner quelques mots sur le bloc et de passer le
billet à un des deux consommateurs. Qu'est-ce que
vous en dites?

— Je dis que c'est fort intéressant.

— C'est tout?

— C'est tout.

La sonnerie du téléphone retentit dans la cabine. Pozzo fronça les sourcils, alla décrocher le
récepteur.

— C'est pour vous! annonça-t-il.

La P. J. appelait Maigret qui, en partant, avait
averti de l'endroit où il allait. Lucas était au bout
du fil.

— On l'a retrouvé, patron.

Il y avait quelque chose dans la voix de Lucas
qui indiquait que les événements avaient pris
une tournure déplaisante.

— Mort?

— Non. Voilà environ une heure, un mareyeur
d'Honfleur qui passait en camionnette sur la route nationale 13, dans la forêt de Saint-Germain,
entre Poissy et Le Pecq, a ramassé un homme
évanoui au bord de la route.

— Lognon?

— Oui. Il paraissait en mauvais état. Le mareyeur l'a conduit chez le docteur Grenier, à Saint-
Germain, et c'est le docteur qui vient de nous
téléphoner.

— Blessé?

— Le visage est tuméfié, probablement par des coups de poing, mais, le plus grave, c'est la blessure que Lognon porte à la tête. D'après le docteur, il semble avoir été frappé violemment avec la crosse d'un revolver. A tout hasard, j'ai demandé qu'on le transporte tout de suite à Beaujon en ambulance. Il y sera d'ici trois quarts d'heure.

— Rien d'autre?

— Les *garnis* ont retrouvé la trace des deux hommes.

— Charlie et Cicero?

— Oui. Ils sont descendus, il y a dix jours, venant du Havre, à l'*Hôtel de l'Etoile,* rue Brey. Ils ont passé dehors la nuit de lundi à mardi dernier. Mardi matin, ils sont venus pour payer leur note et reprendre leurs bagages.

Tout cela se groupait dans le même quartier: la rue Brey, l'*Hôtel Wagram,* le restaurant de Pozzo, rue des Acacias, le garage où l'auto avait été louée.

— C'est tout?

— Une voiture, volée hier soir, vers neuf heures, avenue de la Grande-Armée, a été retrouvée ce matin à la Porte Maillot. Elle appartient à un ingénieur qui jouait au bridge chez des amis. Il affirme que l'auto a été lavée hier après-midi. Or on l'a retrouvée couverte de .boue, comme si elle avait roulé dans des chemins de campagne.

Toujours le même quartier.

— Qu'est-ce que je fais, patron?

— Va à Beaujon et attends-moi.

— J'avertis Mme Lognon?

Maigret poussa un soupir.

— Cela vaut mieux, évidemment. Ne lui donne

pas de détails. Dis-lui qu'il n'est pas mort. Il serait préférable de ne pas faire ça par téléphone.
Tu pourrais passer par la place Constantin-Pecqueur avant de te rendre à Beaujon.

— Ce sera gai !

— Ne parle que des coups de poing.

— Compris.

Maigret faillit sourire. Car, en réalité, la chance,
pour une fois, semblait se mettre avec le lugubre
Lognon. Pour peu qu'il fût blessé sérieusement,
il allait devenir une sorte de héros, sans doute recevoir une médaille !

— A tout à l'heure, patron.

— A tout à l'heure.

Pozzo, pendant ce temps-là, s'était mis à ba-
layer son restaurant, où les chaises étaient em-
pilées sur les tables.

— Mon inspecteur a été frappé, lui annonça
Maigret en le regardant dans les yeux.

Mais il n'obtint aucune réaction.

— Seulement frappé ?

— Cela vous étonne ?

— Pas trop. C'est probablement un avertisse-
ment. Cela se fait beaucoup, là-bas.

— Toujours décidé à la boucler ?

— Je vous ai dit que je ne m'occupais jamais
des affaires des autres.

— Nous nous reverrons.

— Ce sera avec plaisir.

Au moment de sortir, Maigret fit demi-tour,
alla prendre sur la table le bloc-notes qu'il y avait
laissé et, cette fois enfin, il surprit une certaine inquiétude sur le visage du restaurateur.

— Dites donc ! Cela m'appartient.

— Je vous le rendrai.

Il retrouva l'auto de la Préfecture qui l'attendait.

— A Beaujon.

Puis, faubourg Saint-Honoré, en face du portail sombre de l'hôpital, il remit le bloc à l'agent qui conduisait.

— Tu vas retourner au Quai. Tu monteras au laboratoire et tu remettras ceci à Moers. Ne le manipule pas trop.

— Qu'est-ce que je lui dis?

— Rien. Il saura de quoi il s'agit.

Persuadé qu'il avait encore du temps avant l'arrivée de l'ambulance, il entra dans un bistrot, commanda un calvados et s'enferma dans la cabine.

— Moers? Ici, Maigret. On va vous remettre un bloc-notes de ma part. Il est plus que probable qu'hier au soir on a écrit quelques mots au crayon sur une feuille qui a été arrachée.

— Compris. Vous voulez savoir si cela a laissé une empreinte sur la feuille suivante?

— C'est cela. Il est possible qu'on ne se soit plus servi du bloc ensuite, mais ce n'est pas sûr. Faites vite. Je serai au bureau vers midi.

— Entendu, patron.

Au fond, l'assurance de Pozzo n'était pas sans impressionner Maigret. Il y avait un fond de vérité et même plus qu'un fond, dans ce que le restaurateur lui avait dit. On prétendait volontiers, à la P. J., que la plupart, sinon tous les assassins, étaient des imbéciles.

« Des amateurs ! » avait affirmé Pozzo.

Il n'avait pas tort. Dix pour cent à peine échappaient à la police de ce côté-ci de l'Atlantique, alors que, de l'autre côté, des gars comme Cinaglia, qu'on savait être des tueurs, circulaient librement, faute de preuves contre eux.

Ceux-là étaient des professionnels qui, toujours pour parler comme Pozzo, jouaient le jeu à fond. Le commissaire ne se souvenait pas que quelqu'un lui ait jamais parlé sur ce ton protecteur: « *Laissez tomber, Maigret !* »

Il n'en avait pas l'intention, bien entendu, mais il ne pouvait s'empêcher de penser que MacDonald, la veille, au téléphone, ne l'avait guère encouragé.

Il n'était pas sur son terrain habituel. En face de lui, il y avait des gens dont il ne connaissait les méthodes que par ouï-dire et dont il ignorait la mentalité, les réactions.

Qu'est-ce que Charlie et Tony Cicero étaient venus faire à Paris? Ils semblaient avoir traversé l'océan dans un but déterminé et n'avaient pas perdu de temps.

Huit jours après leur arrivée, ils abandonnaient un corps sur le trottoir, près de l'église Notre-Dame-de-Lorette.

Ce corps-là, mort ou vivant, avait disparu quelques minutes plus tard, presque sous les yeux de Lognon.

— Remettez ça !

Il avala un second calvados, avec l'impression qu'il était en train de couver un rhume, puis traversa la rue et pénétra sous la voûte au moment où une ambulance arrivait.

C'était Lognon, qu'on amenait de Saint-Germain et qui insistait pour marcher. Quand il aperçut Maigret, on ne put le maintenir sur la civière.

— Puisque je vous dis que je suis encore capable de tenir debout !

Un instant, Maigret avait été obligé de détour-

ner la tête. Malgré tout, en effet, il n'avait pu
s'empêcher de sourire en voyant le visage de l'Inspecteur Malgracieux. Un oeil était tuméfié, com-
plètement fermé, et le médecin de Saint-Germain
avait recouvert une aile du nez et un coin de la
bouche de leucoplaste d'un rose agressif.

— Il faut que je vous explique, Monsieur le
commissaire...

— Tout à l'heure.

Le pauvre Lognon vacillait, et une infirmière
dut le soutenir pendant qu'on le dirigeait sur la
chambre qui lui avait été préparée. L'interne suivait.

— Vous m'appellerez dès que vous l'aurez soi-
gné. Faites en sorte qu'il puisse parler.

Maigret se promena dans le couloir où, dix
minutes plus tard, Lucas le rejoignait.

— Mme Lognon? Cela a été dur?

Le regard de Lucas était éloquent.

— Elle est indignée qu'on ne l'ait pas conduit
chez lui. Elle prétend qu'on n'a pas le droit de
le retenir à l'hôpital et de le séparer ainsi d'elle.

— Comment le soignerait-elle?

— C'est ce que je lui ai fait observer. Elle veut
vous voir, parle de s'adresser au préfet de police.
D'après elle, on la laisse seule, malade, sans pro-
tection, à la merci des gangsters.

— Tu lui as annoncé que l'immeuble était
surveillé?

— Oui. Cela l'a un peu calmée. Il a fallu que,
par la fenêtre, je lui montre l'agent en faction.

» — *Ce sont toujours les mêmes qui sont à
l'honneur et les mêmes qui trinquent!* a-t-elle
déclaré enfin. »

**3**

Quand l'interne sortit de la chambre, il était soucieux.

— Fracture du crâne? questionna Maigret à voix basse.

— Je ne crois pas. On va tout à l'heure le radiographier, mais c'est improbable. Seulement, il a été sonné. Par-dessus le marché, il a traîné toute la nuit dans le bois et il y a des chances qu'il fasse une pneumonie. Vous pouvez lui parler. Cela le soulagera. Il vous réclame, refuse qu'on lui fasse quoi que ce soit avant de vous avoir vu. J'ai eu toutes les peines du monde à lui injecter de la pénicilline et il a fallu que je lui montre le nom du médicament sur l'ampoule, car il craignait que je veuille l'endormir.

— Il vaut mieux que j'y aille seul, dit Maigret à Lucas.

Lognon était couché dans un lit blanc, et une infirmière allait et venait dans la chambre. Il avait maintenant le visage brûlant, comme si la fièvre était en train de monter.

Maigret s'assit à son chevet.

— Alors, vieux?

— Ils m'ont eu.

Une larme gicla du seul oeil découvert.

— Le docteur recommande que vous ne vous agitiez pas. Dites-moi seulement l'essentiel.

— Quand vous m'avez quitté, je suis resté près du coin de la rue, d'où je pouvais observer la porte du restaurant. Je m'étais collé contre le mur, assez loin du reverbère.

— Personne n'est sorti de chez Pozzo?

— Personne. Il s'est écoulé environ dix minutes avant qu'une voiture descende l'avenue Mac-Mahon, prenne le tournant et s'arrête juste devant moi.

— Charlie Cinaglia?

— Ils étaient trois. C'est le grand, Cicero, qui conduisait, avec Bill Larner à côté de lui. Charlie était derrière. Je n'ai pas eu le temps de sortir mon revolver de ma poche. Charlie avait déjà ouvert la portière et braquait sur moi son automatique. Il n'a rien dit, m'a fait signe de monter. Les deux autres ne me regardaient même pas. Qu'est-ce que j'aurais dû faire?

— Monter, soupira Maigret.

— L'auto est repartie aussitôt, pendant qu'une main tâtait mes poches et s'emparait de mon arme. Personne ne parlait. J'ai vu qu'on sortait de Paris par la Porte Maillot, puis j'ai reconnu la route de Saint-Germain.

— La voiture s'est arrêtée dans la forêt?

— Oui. C'est Larner qui, du geste, indiquait à son compagnon la route à suivre. On s'est engagé dans un petit chemin, où l'auto a stoppé, loin de la route nationale. Là, ils m'ont fait descendre.

Pozzo n'avait-il pas raison de prétendre que ce n'étaient pas des amateurs?

— Charlie n'a pour ainsi dire pas desserré les dents. C'est le grand, Cicero, qui, les mains dans les poches, fumant cigarette sur cigarette, dictait en anglais à Larner les questions à me poser.

— En somme, ils avaient emmené Larner comme interprète?

— J'ai eu l'impression qu'il n'était pas emballé par son rôle. Plusieurs fois, il m'a semblé qu'il leur conseillait de me laisser. Avant qu'on commence les questions, le petit, Charlie, m'a flanqué

son poing en pleine figure, et je me suis mis à
saigner du nez.

» — *Je crois que vous feriez mieux d'être gentil,* a prononcé Larner avec un léger accent,
*et de dire à ces messieurs ce qu'ils ont envie de
savoir.*

» En somme, c'est tout le temps la même
question qu'ils m'ont posée:

» — *Qu'est-ce que vous avez fait du corps?*

» D'abord je ne voulais pas leur faire l'honneur de répondre et je les regardais durement.
Puis Cicero a parlé en anglais à Charlie, qui a
frappé à nouveau.

» — *Vous avez tort,* faisait Larner d'un air
ennuyé. *Voyez-vous, on finit toujours par parler.*

» Après le troisième ou le quatrième coup,
je ne sais plus, je leur ai juré que je ne savais pas
ce que le corps était devenu, que j'ignorais même
de qui il s'agissait.

» Ils ne me croyaient pas. Cicero fumait toujours sa cigarette et, de temps en temps, faisait
quelques pas pour se dégourdir les jambes.

» — *Qui a averti la police?*

» Qu'est-ce que vous vouliez que je réponde?
Que je me trouvais là par hasard, non pas à
cause d'eux, mais pour une autre affaire.

» Après chaque réponse, Cicero adressait un
signe à Charlie, qui n'attendait que ça pour m'envoyer à nouveau son poing à la figure.

» Ils ont vidé mes poches, examiné le contenu
de mon portefeuille à la lueur des lanternes de l'auto.

— Cela a duré longtemps?

— Je ne sais pas. Peut-être une demi-heure,
peut-être plus. J'avais mal partout. Un des coups

avait meurtri mon oeil, et je sentais le sang couler sur ma figure.

» — *Je vous jure*, leur disais-je, *que je ne sais absolument rien.*

» Cicero n'était pas satisfait, se remettait à parler à Larner, et celui-ci me posait de nouvelles questions. Il m'a demandé si j'avais vu une autre voiture s'arrêter rue Fléchier. J'ai répondu que oui.

» — *Quel numéro?*

» — *Je n'ai pas eu le temps de voir le numéro.*

» — *Tu mens!*

» — *Je ne mens pas.*

» Ils ont voulu savoir qui vous étiez, car ils vous ont vu entrer chez moi, place Constantin-Pecqueur. Je le leur ai dit. Alors ils m'ont demandé si vous vous étiez mis en rapport avec le F. B. I., et j'ai dit que je ne savais pas, qu'en France les inspecteurs ne posent pas de questions aux commissaires. Larner à ri. Il a eu l'air de vous connaître.

» A la fin, Cicero a haussé les épaules et s'est dirigé vers la voiture. Larner, comme soulagé, l'a suivi, mais Charlie est resté en arrière. Il leur a crié quelque chose, de loin. Je ne crois pas qu'ils aient répondu. Alors il a tiré son automatique de sa poche, et j'ai cru qu'il allait me tuer, je... »

Lognon s'était tu, des larmes de rage dans l'oeil. Maigret préféra ne pas savoir ce qu'il avait fait, s'il était tombé à genoux, s'il avait supplié. Probablement pas. Lognon était capable d'être resté là, sombre et amer, à attendre la fin.

— Il s'est contenté de me donner un coup de crosse sur la tête, et je me suis évanoui.

» Quand je suis revenu à moi, ils n'étaient plus
là. J'ai essayé de me mettre debout. J'ai appelé
au secours.

— Vous avez erré toute la nuit dans la forêt?

— Je suppose que j'ai tourné en rond. J'ai perdu
plusieurs fois conscience. Il m'arrivait de me traîner sur les mains. J'ai entendu des autos passer et,
chaque fois, je m'efforçais de crier. Au matin, je
me suis trouvé au bord de la route, et une camionnette s'est arrêtée.

Sans transition, il questionna:

— On a prévenu ma femme?

— Oui. Lucas y est allé.

— Qu'est-ce qu'elle dit?

— Elle a insisté pour qu'on vous ramène place
Constantin-Pecqueur.

Une inquiétude passa dans l'oeil unique de Lognon.

— On va m'y transporter?

— Non. Vous avez besoin de soins et vous serez
mieux ici.

— J'ai fait ce que j'ai pu.

— Mais oui.

On aurait dit qu'une pensée, soudain, tracassait
Lognon. Il hésitait à parler, murmurait enfin en
détournant le visage:

— Je ne suis pas digne d'appartenir à la police.

— Pourquoi?

— Parce que si j'avais su où était le corps,
j'aurais fini par le dire.

— Moi aussi, répliqua Maigret sans qu'on pût
savoir s'il voulait faire plaisir à l'inspecteur.

— Je vais devoir rester longtemps à l'hôpital?

— En tout cas quelques jours.

— Et on ne me tiendra pas au courant?

— Mais si.

— Vous le promettez? Vous ne m'en voulez pas?

— De quoi, vieux?

— Vous savez bien que c'est ma faute.

Au fond, il en profitait. Il fallait bien lui dire que non, lui répéter qu'il avait fait son devoir, que, s'il s'était conduit autrement la nuit du lundi au mardi, on n'aurait peut-être jamais découvert la piste Charlie et Cicero.

C'était presque vrai, d'ailleurs.

— Comment ma femme fait-elle pour son marché?

Maigret répondit à tout hasard:

— Lucas s'en est occupé.

— J'ai honte de vous donner tout ce mal.

Allons! Il n'avait pas changé! Trop d'humilité. Il ne pouvait s'empêcher d'exagérer, que ce soit dans un sens ou dans l'autre. Quelqu'un frappait à la porte, heureusement, car Maigret ne savait comment s'en aller. L'infirmière annonça:

— Il est temps de descendre à la radiologie.

Cette fois, Lognon fut forcé de prendre place sur une civière à roulettes, et, quand il passa, Lucas, qui attendait dans le couloir, lui adressa un petit signe amical.

— Viens!

— Qu'est-ce qu'ils lui ont fait?

Sans répondre directement, Maigret murmura:

— Pozzo a raison. Ce sont des durs.

Puis, réfléchissant:

— Ce qui m'étonne, c'est qu'un garçon comme Bill Larner travaille avec eux. Les escrocs de son envergure n'ont pas l'habitude de se mouiller.

— Vous croyez que les deux autres l'ont obligé
à les aider?

— En tout cas, j'aimerais avoir une conversation avec lui.

Larner était un professionnel aussi, mais d'une
autre espèce, d'une autre classe, un de ces inter-
nationaux qui ne font un coup qu'une fois de
temps en temps, un coup sérieux, minutieuse-
ment monté, qui leur rapporte vingt ou trente
mille dollars et leur permet ensuite de rester pei-
nards. Depuis deux ans qu'il habitait Paris, il paraissait vivre sur son capital et n'avait pas été une
seule fois inquiété.

Maigret et Lucas prirent un taxi, et le commissaire donna d'abord l'adresse de la Préfecture.
Puis, comme on traversait la rue Royale, il se
ravisa.

— Rue des Capucines, dit-il au chauffeur. Au
*Manhattan Bar.*

L'idée lui en venait en pensant aux photographies étalées chez Pozzo. Au *Manhattan* aussi, les
murs étaient garnis de portraits de boxeurs et
d'acteurs. Ce n'était pas la même clientèle que rue
des Acacias. Depuis plus de vingt ans, Luigi
voyait défiler à son bar la colonie américaine de
Paris et ce qu'il y avait de mieux en fait de tou-
ristes d'outre-Atlantique. Il n'était pas midi, et
l'endroit était à peu près désert. Luigi en personne
était derrière le comptoir, à ranger ses bouteilles.

— Bonjour, commissaire. Qu'est-ce que je vous
offre?

Il était d'origine italienne, comme Pozzo, et on
prétendait qu'il perdait aux courses à peu près
tout ce qu'il gagnait dans son établissement.
Pas seulement aux courses, mais à toutes les

sortes de paris. Les matches de boxe, les tournois
de tennis, les courses de natation, tout, pour lui,
était matière à pari, y compris le temps qu'il ferait
le lendemain.

Aux heures creuses de l'après-midi, entre trois
et cinq, il lui arrivait, avec un compatriote vaguement attaché à l'ambassade, de jouer sur les voitures défilant dans la rue.

— Cinq mille francs qu'il passe vingt Citroën
avant dix minutes.

— Tenu !

Pour la couleur locale, Maigret commanda un
whisky et, laissant son regard errer sur les photographies alignées sur les murs, ne tarda pas à
repérer celle de Charlie Cinaglia, en tenue de
boxe, la même photo, exactement, que chez Pozzo,
à la différence près que celle-ci n'était pas signée.

# CHAPITRE

# 4

*Où il est encore question de la petite classe et où*
*Maigret commence à en avoir assez.*

QUAND ILS SORTIRENT
du *Manhattan*, en pardessus et en chapeau noir,
l'un comme l'autre, avec Maigret qui paraissait
deux fois aussi grand et aussi volumineux que
Lucas, ils avaient un peu l'air de deux veufs
qui se sont arrêtés à plusieurs bistrots en revenant
du cimetière.

Est-ce que Luigi l'avait fait exprès? C'était possible. Dans ce cas, il ne l'avait pas fait mécham-
ment. C'était un honnête homme, on ne pouvait
rien dire contre lui, et les plus hauts personnages de l'ambassade n'avaient aucune honte à s'ac-
couder à son bar.

Il les avait servis généreusement, voilà tout, surtout Maigret, et celui-ci n'avait pas bu de whisky
depuis longtemps. En outre, il venait de prendre
deux verres de calvados faubourg Saint-Honoré.

Il n'était pas ivre, Lucas non plus. Lucas
croyait-il que le patron était ivre? Il avait une
drôle de façon de le regarder de bas en haut, tan-

dis qu'ils se faufilaient tous les deux dans la
foule des trottoirs.

Lucas, ce matin, n'était pas rue des Acacias.
Il n'avait pas entendu le discours, ou plutôt l'espèce de leçon, de Pozzo. A cause de cela, il ne
pouvait pas comprendre exactement l'état d'esprit
de Maigret.

D'abord, presque tout de suite, il y avait eu, de
la part de Luigi, le petit cours sur les boxeurs.
Maigret avait regardé la photographie de Charlie
et questionné, comme sans y attacher d'importance:

— Vous le connaissez?

— Un petit gars qui aurait pu faire parler de
lui. Il était probablement le meilleur dans sa catégorie. Il avait travaillé dur pour en arriver là.
Puis, un beau jour, l'idiot a trempé dans je ne
sais quelle combine, et la Fédération lui a retiré
sa licence.

— Qu'est-il devenu?

— Que voulez-vous que ces garçons-là devien-
nent? Ils sont des milliers de gamins, chaque
année, à Chicago, à Détroit, à New-York, dans
toutes les grandes villes, à entrer dans les gym-
nases avec l'idée de devenir des champions. Combien compte-t-on de champions par génération,
commissaire?

— Je ne sais pas. Pas beaucoup, évidemment.

— Et, même pour ceux-là, le succès ne dure
pas. Ceux qui n'ont pas dépensé tout leur argent
en blondes platinées et en Cadillac montent un
restaurant ou un commerce d'articles de sports.
Mais tous les autres, tous ces mômes, qui ont cru
que c'était arrivé et qui se sont fait décoller la cer-
velle à force de recevoir des coups? Ils n'ont

appris qu'à frapper, et il y a des gens qui ont
besoin d'eux, comme gardes du corps, comme
hommes de main. C'est ce qui est arrivé à Charlie.

— On m'a dit que c'est devenu un tueur.

Alors Luigi, comme si c'était la chose la plus
naturelle du monde:

— Possible.

— Vous ne l'avez pas vu récemment?

Maigret avait posé la question de son air le plus
innocent, son verre à la main, le regard ailleurs. Il
connaissait Luigi, qui le connaissait aussi. Les
deux hommes s'appréciaient. Or, d'une seconde à
l'autre, l'atmosphère n'était plus la même.

— Il est à Paris?

— Je crois.

— Comment se fait-il que vous vous occupiez
de lui?

— Oh! incidemment...

— Je n'ai jamais vu Charlie Cinaglia en chair
et en os, car j'ai quitté les Etats-Unis avant qu'il
se fasse connaître et je n'ai pas entendu dire qu'il
soit venu en Europe.

— Je pensais que quelqu'un aurait pu vous en
parler. Il s'est rendu plusieurs fois chez Pozzo. Or,
vous êtes d'origine italienne tous les deux.

— Je suis d'origine napolitaine, rectifia Luigi.

— Et Pozzo?

— Sicilien. C'est un peu comme si vous con-
fondiez les Marseillais et les Corses.

— Je me demande à qui, en dehors de Pozzo,
Charlie s'est adressé en arrivant à Paris. Il n'y
est pas venu seul. Tony Cicero l'accompagne.

C'est alors que Luigi lui avait rempli son verre
pour la seconde fois. Maigret avait l'air un peu

vague, parlait mollement, sans conviction. C'est
ce que Lucas, qui le connaissait bien, appelait
aller à la pêche, et le commissaire, parfois, arrivait à se donner un aspect tellement quelconque
que ses collaborateurs s'y trompaient.

— Tout cela m'a l'air bougrement compliqué,
soupira-t-il. Sans compter qu'il y a un autre Américain dans l'histoire, Bill Larner.

— Bill n'a rien à voir avec eux, s'empressa de
déclarer Luigi. Bill est un gentleman.

— Un de vos clients?

— Il vient de temps en temps.

— A supposer que Bill Larner ait besoin de se
cacher, où croyez-vous qu'il aille?

— A supposer, comme vous dites, car je ne crois
pas que cela arrive, Bill se cacherait de telle sorte
que personne ne le trouverait. Seulement croyez-
moi quand je vous affirme que Bill n'a rien à
voir avec les deux autres.

— Vous connaissez Cicero?

— On écrit parfois son nom dans les journaux
américains.

— Un gangster?

— Vous vous occupez réellement de ces gens-
là?

Luigi n'avait déjà plus la même cordialité. Il
avait beau être Napolitain et non Sicilien, il lui
venait un peu la même façon de parler et de regarder le commissaire qu'à Pozzo.

— Vous êtes allé aux Etats-Unis, n'est-ce pas?
Allors vous devriez comprendre que ce ne sont pas
des choses pour la police française. Les Américains
eux-mêmes, à part quelques-uns du F. B. I., ne
s'y retrouvent pas dans ces organisations-là. Je ne
sais ce que ceux dont vous parlez sont venus faire

à Paris, s'ils y sont. Puisque vous le dites, je
veux bien vous croire, mais cela me surprend. En
tout cas, leurs affaires ne nous regardent pas.

— Et s'ils avaient tué un homme?

— Un Français?

— Je ne sais pas.

— S'ils ont tué quelqu'un, c'est qu'ils étaient
chargés de la besogne, et vous n'obtiendrez jamais de preuves contre eux. Remarquez que je ne
les connais ni l'un ni l'autre. Les deux que vous
m'avez cités d'abord sont des Siciliens. Quant à
Bill Larner, je continue à prétendre qu'il n'a rien
de commun avec eux.

— A quel sujet les journaux américains parlent-
ils de Cicero?

— A propos de *rackets,* probablement. Vous ne
pouvez pas comprendre. Ici, il n'existe pas de véri-
tables organisations criminelles comme là-bas.
Vous n'avez même pas de vrais tueurs. Supposez
qu'un gars, à Paris, aille trouver les commerçants de son quartier en leur expliquant qu'ils ont
besoin d'être protégés contre les mauvais garçons
et que c'est lui qui les protégera désormais moyen-
nant tant de milliers de francs par semaine.
Le commerçant s'adresserait à la police, non?
Ou il éclaterait de rire. Eh bien! en Amérique,
personne ne rit, et seuls les idiots s'adressent à
la police. Parce que, s'ils le font ou s'ils ne paient
pas, une bombe éclate dans leur boutique, à moins
qu'ils ne reçoivent quelques balles de mitraillettes
en rentrant chez eux.

Luigi s'animait. Comme Pozzo, on aurait juré
qu'il était fier de ses compatriotes.

— Ce n'est pas tout. Supposez qu'un de ces
gars-là soit arrêté. Presque toujours, il y aura un

juge ou un politicien de haut rang pour le faire
relâcher. Mettons quand même que le sheriff ou
le district attorney s'obstine. Dix témoins vien-
dront affirmer sous serment que le pauvre garçon
était à cette heure-là à l'autre bout de la ville. Et,
si un témoin sincère prétend le contraire, s'il
est assez fou pour maintenir sa déposition, il lui
arrivera un accident avant le jour du procès. Pi-
gé?

Un grand garçon blond venait d'entrer et s'é-
tait accoudé au bar à deux mètres de Maigret et
de Lucas. Luigi lui adressa un clin d'oeil.

— Martini?

— Martini, répéta l'autre en regardant les deux
Français d'un air amusé.

Maigret s'était déjà mouché une fois ou deux.
Le nez lui picotait. Ses paupières étaient chaudes.
Avait-il attrapé le rhume de Lognon?

Le brave Lucas, lui, attendait le moment où le
patron réagirait. Or le commissaire laissait parler,
comme s'il n'avait rien à répondre.

La vérité, c'est qu'il commençait à en avoir
assez. Que Pozzo lui conseille de laisser tomber,
passe encore. Le restaurateur de la rue des Acacias
devait avoir de bonnes raisons pour cela.

Mais ici, dans ce bar élégant, qu'un Luigi lui
dise à peu près la même chose, cela devenait exa-
géré.

— Supposez, commissaire, un Américain arrivant à Marseille et essayant de s'occuper des gars
du milieu. Hein? Qu'est-ce qui arriverait? Or, à
Marseille, ce sont des enfants en comparaison de...

D'accord! D'accord! Qui sait? Si Maigret était
aller trouver le consul, ou l'ambassadeur, ces
messieurs lui auraient peut-être parlé de la même

façon: « Ne vous occupez pas de ça, Maigret. Ce n'est pas pour vous. »

Pas pour la petite classe, quoi ! Il avait presque envie de répliquer, ce qui eût été évidemment assez ridicule : « Et Landru, c'est de la petite classe aussi? »

Il avait vidé son verre jusqu'à la dernière goutte, silencieux, maussade, sentant bien que Lucas, déçu, se demandait pourquoi il ne remettait pas Luigi à sa place.

Maintenant qu'ils étaient dans la rue, Lucas n'osait toujours pas poser de questions. Maigret ne parlait pas de pendre de taxi ou un autobus. Il marchait, les mains dans les poches, boudeur, et ils étaient déjà loin quand, se tournant vers son compagnon, il lui déclara le plus sérieusement du monde, comme si jusqu'alors ils avait douté de lui:

— Qu'est-ce que tu paries que je les aurai?

— J'en suis persuadé, s'empressa de répliquer Lucas.

— Moi j'en suis sûr! Tu entends? J'en suis sûr! Ils me font...

Il était rare que Maigret prononce un mot vraiment malsonnant, mais il lâcha celui-là avec soulagement.

:-:

Cela ne donnerait peut-être rien, mais il n'en avait pas moins envoyé Lucas rue des Acacias afin de tenir à l'oeil le restaurant de Pozzo.

— Inutile de te cacher, car le frère est quand même assez malin pour te repérer. Il n'a sûrement pas téléphoné, sachant que ses communications sont écoutées, mais il n'a pas manqué, s'il en a

eu la possibilité, de prévenir les deux types qui
étaient hier au soir à son bar et qui ont donné
l'alarme à Charlie et à Cicero. Il reste une petite
chance qu'il n'ait pu les rejoindre et qu'un des
deux vienne rue des Acacias.

Il les avait décrits à Lucas, lui avait donné des
instructions détaillées. Une fois Quai des Orfèvres,
il était monté au laboratoire sans passer par son
bureau.

Moers l'attendait en mangeant un sandwich.
Tout de suite, il alluma un projecteur qui ressemblait à une énorme lanterne magique, et une
image se projeta sur l'écran.

C'étaient les traces que le crayon de Pozzo avait
laissées sur les pages du bloc-notes. Les premiers
caractères étaient assez nets: G A L. Après quoi,
venaient des chiffres.

— Comme vous le pensiez, patron, il s'agit d'un
numéro de téléphone. Le bureau est Galvani.
Le premier chiffre est un *2*, le second un *7*, le
troisième impossible à deviner, le quatrième aussi,
peut-être un *o*, mais je n'en suis pas sûr, ou un *9*,
ou encore un 6.

Moers aussi le regardait curieusement, non
parce que Maigret sentait l'alcool, mais parce qu'il
avait l'air vague. D'ailleurs, en sortant, il employa un mot qu'il ne disait guère que dans ces
moments-là :

— Merci, *fils!*

Il entra dans son bureau, retira son pardessus,
ouvrit la porte des inspecteurs.

— Janvier, Lapointe...

Avant de leur donner des instructions, il appela
au téléphone la *Brasserie Dauphine*.

— Vous avez mangé, vous deux?

— Oui, patron.

Il commanda des sandwiches pour lui, de la
bière pour les trois.

— Prenez chacun une liste des téléphones par
numéros. Cherchez à Galvani.

C'était un travail énorme. Les deux hommes, à
moins d'une chance toute particulière, en avaient
pour des heures à trouver le bon numéro.

Les clients qui jouaient au poker d'as, chez
Pozzo, étaient partis un peu après le début du
repas, autrement dit environ trois quarts d'heure,
voire une heure, avant le départ de Maigret et de
Lognon. Pozzo les avait chargés de téléphoner à
un numéro de Galvani. C'était le quartier dans les
environs de l'avenue de la Grande-Armée, et
n'est-ce pas avenue de la Grande Armée, justement, que la voiture qui avait emmené Lognon
dans la forêt de Saint-Germain avait été volée?

Tout cela se tenait. Ou bien les trois Américains étaient ensemble quand ils avaient été alertés,
ou bien ils avaient la possibilité de se réunir rapidement. Une heure plus tard, en effet, ils étaient
à l'affût aux environs du restaurant.

— Il s'agit d'un hôtel, patron?

— Je n'en sais rien. Peut-être. Ils ne sont en
tout cas pas descendus dans un hôtel sous leur vrai
nom. S'ils sont à l'hôtel, c'est qu'ils se sont procuré de fausses cartes d'identité ou de faux passeports.

Ce n'était pas impossible. Un homme comme
Pozzo devait être à la coule.

— Je ne pense cependant pas qu'ils soient à
l'hôtel, ou en meublé, car ils savent que c'est ce
que nous surveillerons en premier lieu.

Chez un ami de Larner, car Larner vivait à

Paris depuis deux ans et devait avoir des relations?
Dans ce cas-là, c'était plus probablement chez une
femme.

— Essayez tous les numéros qui ont l'air de
coller. Etablissez une liste des femmes seules, des
noms italiens et américains.

Il ne se faisait aucune illusion. Quand on tombe-
rait sur le bon numéro, si on y arrivait, les
oiseaux n'y seraient plus. Pozzo n'était pas un
naïf ni un débutant. Il avait vu Maigret emporter
le bloc. A l'heure qu'il était, il avait donné l'a-
larme une fois de plus.

Maigret téléphona à sa femme, qui l'attendait
pour déjeuner, puis à Mme Lognon, qui se lamenta
encore un peu.

La porte qui séparait son bureau et celui des
inspecteurs restait ouverte. Il entendait Janvier
et Lapointe appeler des numéros, raconter chaque
fois une histoire différente et, petit à petit, il se
tassait dans son fauteuil, tirait de plus en plus
rarement sur sa pipe.

Il ne dormait pourtant pas. Il avait chaud. Il lui
semblait qu'il avait un peu de fièvre. Les yeux mi-
clos, il essayait de réfléchir, mais sa pensée, qui
devenait toujours plus vague, finissait invariablement par la même affirmation: « *Je les aurai!* »

Comment il les aurait, c'était une autre histoire. A vrai dire, il n'en avait pas la moindre
idée, mais il avait rarement été aussi décidé à mener une affaire à bien de sa vie. Pour un peu, ce
serait à ses yeux une question nationale, et il n'y
avait pas jusqu'au mot gangster qui ne le mît
en rogne.

« ... Parfaitement, monsieur Luigi! Parfaitement, monsieur Pozzo! Parfaitement, messieurs

les Américains! Ce n'est pas vous qui me ferez changer d'avis. J'ai toujours dit et je répète que les tueurs sont des imbéciles. S'ils ne l'étaient pas, ils ne tueraient pas. Compris? Non? Vous n'êtes pas convaincus? Eh bien! moi, Maigret, je vous le prouverai. Voilà! C'est tout! Disposez!... »

Quand le garçon de bureau frappa à la porte et, ne recevant pas de réponse, l'entr'ouvrit, Maigret dormait, la pipe pendant à ses lèvres.

— Un pli express, monsieur le commissaire.

C'étaient les photographies et les renseignements envoyés par avion de Washington.

Dix minutes plus tard, le laboratoire était occupé à tirer des photos en série. A quatre heures, les journalistes étaient réunis dans l'antichambre, et Maigret leur remettait à chacun un jeu d'épreuves.

— Ne me demandez pas pourquoi ils sont recherchés. Aidez-moi seulement à les retrouver. Publiez les photos en première page. Toute personne ayant vu un de ces hommes est priée de téléphoner immédiatement à mon bureau.

— Ils sont armés?

Maigret hésita, finit par répondre honnêtement :

— Non seulement ils sont armés, mais ils sont dangereux.

Et, employant le mot qui commençait à l'agacer:

— Ce sont des tueurs. Au moins l'un d'entre eux.

Par bélinographe, les photographies parvenaient aux gares, aux postes frontières et aux brigades.

Tout cela, comme aurait dit le pauvre Lognon, était facile. Lucas faisait toujours le pied de grue

rue des Acacias. Janvier et Lapointe appelaient des numéros de téléphone. A mesure qu'on trouvait un numéro plus ou moins suspect, quelqu'un s'en allait pour vérifier.

A cinq heures, on vint annoncer qu'on le demandait de Washington, et il entendit la voix de Mac-Donald lancer un « Jules » cordial.

— Dites donc, Jules, j'ai réfléchi à votre coup de téléphone et j'ai eu l'occasion d'en parler incidemment au grand patron...

Maigret se faisait peut-être des idées, mais il lui semblait que Mac-Donald était moins franc, que la veille. Il y avait des silences au bout du fil.

— Oui, j'écoute.

— Vous êtes sûr que Cinaglia et Cicero sont à Paris ?

— Certain. Je viens de faire vérifier, à l'aide des photographies, par quelqu'un qui les a vus de près.

C'était exact. Il avait envoyé un inspecteur chez Mme Lognon, qui avait été catégorique.

— Allô !...

— Oui. J'écoute toujours.

— Ils ne sont que deux ?

— Ils se sont mis en rapport avec Bill Larner.

— Celui-là n'a pas d'importance, je vous l'ai déjà dit. Ils n'ont rencontré personne d'autre ?

— C'est ce que j'essaie d'établir.

Mac Donald semblait tourner autour du pot, comme quelqu'un qui craint d'en dire trop.

— Vous n'avez pas entendu parler d'un troisième Sicilien ?

— Quel nom ?

Une hésitation encore :

— Mascarelli.

— Il serait arrivé en même temps qu'eux?

— Certainement pas. Quelques semaines plus tôt.

— Je vais faire rechercher ce nom par le grand service de garnis.

— Mascarelli n'est probablement pas inscrit sous son nom.

— Dans ce cas...

— Voyez quand même. Si vous entendez parler d'un Mascarelli, dit Sloppy Joe, faites-le-moi savoir, par téléphone de préférence. Je vous donne son signalement. Petit et maigre, paraissant cinquante ans alors qu'il n'en a que quarante et un, l'air mal portant, avec des cicatrices de furoncles dans le cou. Vous comprenez le mot *sloppy?*

Maigret le comprenait, mais il aurait eu de la peine à le traduire exactement: quelqu'un de pas très frais, de pas très propre, de mal habillé.

— Bon! On lui a donné ce surnom-là, et il le mérite.

— Qu'est-il venu faire en France?

Un silence à l'autre bout du fil.

— Que sont venus faire les deux autres?

MacDonald parla bas, comme pour demander conseil à quelqu'un qui se tenait près de lui, répondit enfin:

— Si Charlie Cinaglia et Cicero ont rencontré Sloppy Joe à Paris, il y a des chances pour que le corps que votre inspecteur a vu lancer d'une voiture soit celui de Sloppy Joe.

— C'est très clair, évidemment! railla Maigret.

— Je m'excuse, Jules, mais c'est à peu près tout ce que je sais moi-même.

Le commissaire appela Le Havre, puis Cher-

bourg, eut dans chaque port le fonctionnaire qui
s'occupait des débarquements. Chacun examina
les listes des passagers sans y trouver de Mascarelli. Maigret leur fournit tant bien que mal la
description du personnage, et ils promirent de
questionner leurs inspecteurs.

Janvier parut.

— Torrence vous demande à l'appareil, patron.

— Où est-il?

— Dans le quartier de la Grande-Armée, à vérifier des adresses.

Il était inutile, en effet, qu'il revînt au Quai
des Orfèvres après chaque vérification. Il téléphonait les résultats d'un bar, et on lui donnait une
autre adresse.

— Allô! c'est vous, patron? Je vous appelle
de chez une dame que je préfère ne pas quitter
de l'oeil. Je crois que vous ferez bien de venir
lui dire deux mots. Elle n'est pas commode.

Maigret entendit vaguement une voix de femme,
puis celle de Torrence qui ne s'adressait plus à
lui et qui disait :

— Si vous ne vous taisez pas, je vous flanque
ma main sur la figure. Vous êtes là, patron? Je
suis au 28 *bis,* rue Brunel. C'est au troisième à
gauche. La personne en question s'appelle Adrienne Laur. Il serait peut-être bon de vérifier ce
nom-là aux *sommiers.*

Maigret chargea Lapointe du travail et, endos-
sant son lourd pardessus, ramassant deux pipes
sur son bureau, se dirigea vers l'escalier, eut la
chance de trouver une des voitures dans la cour.

— Rue Brunel.

Toujours dans le même quartier, non loin de
l'avenue Wagram, à deux cents mètres à peine de

la rue des Acacias, à trois cents mètres de l'endroit où l'auto avait été volée la veille au soir.
L'immeuble était confortable, bourgeois. Il y avait
un ascenseur, des tapis dans l'escalier. Quand il
arriva au troisième, une porte s'ouvrit, et le gros
Torrence parut soulagé.

— Vous en tirerez peut-être quelque chose,
patron. Moi, j'y renonce.

Une femme brune, aux formes assez opulentes,
se tenait debout au milieu du salon, vêtue en
tout et pour tout d'un peignoir qui s'écartait au
moindre mouvement.

— Et de deux! lança-t-elle, sarcastique. A
combien allez-vous vous mettre contre moi?

Maigret, poliment, avait retiré son chapeau
qu'il posa sur un fauteuil et, comme il faisait très
chaud, il retira également son pardessus en murmurant:

— Vous permettez?

— Vous remarquerez que je ne permets rien du
tout.

C'était une belle femme, en somme, d'une tren-
taine d'années, à la voix un peu rauque des gens
qui vivent davantage la nuit que le jour. Un sourd
parfum imprégnait l'air. La porte était ouverte
sur une chambre à coucher dont le lit était défait,
et, sur un canapé du salon, il y avait un oreiller,
un autre par terre dans un coin, où deux car-
pettes avaient été mises l'une sur l'autre.

Torrence, qui avait suivi le regard de Maigret,
disait:

— Vous comprenez, patron?

Elle n'avait évidemment pas été la seule à coucher dans l'appartement la nuit précédente.

— Quand j'ai sonné, elle a mis longtemps à me

répondre. Elle prétend qu'elle dormait. C'est probable. Elle dormait même toute nue, car elle n'a rien d'autre que son peignoir sur la peau.

— C'est votre affaire?

— Je lui ai demandé si elle ne connaissait pas un Américain nommé Bill Larner et j'ai vu qu'elle hésitait, gagnait du temps, faisait semblant de chercher dans ses souvenirs. Malgré ses protestations, je me suis avancé et j'ai jeté un coup d'oeil dans la chambre à coucher. Regardez vous-même. Sur le meuble, à gauche.

Dans un cadre de cuir rouge, il y avait une photographie, prise probablement à Deauville, qui représentait un couple en maillot de bain: Adrienne Laur et Bill Larner.

— Vous comprenez pourquoi je vous ai téléphoné? Ce n'est pas tout. Jetez un coup d'oeil dans le panier à papier. J'ai compté huit bouts de cigares. Or ce sont des havanes de gros calibre qui durent une bonne heure chacun. Je suppose qu'au moment où j'ai sonné elle a aperçu les cendriers pleins et les a vidés en vitesse dans le panier.

— J'ai reçu des amis, hier soir.

— Combien d'amis?

— Cela ne vous regarde pas.

— Bill Larner?

— Cela ne vous regarde pas non plus. D'ailleurs, cette photo a été prise il y a un an, et, depuis, nous sommes brouillés.

Il y avait une bouteille de fine et un verre sur une commode; elle se versait à boire, ne leur en offrait pas, allumait une nouvelle cigarette, faisait bouffer ses cheveux sur sa nuque.

— Est-ce que je vais avoir le droit de me recoucher?

— Ecoutez, mon petit...

— Je ne suis pas votre petit.

— Il serait plus sage de votre part de me répondre gentiment.

— Parbleu !

— Vous avez cru bien faire. Larner vous a demandé de le recevoir, ainsi que ses deux amis. Il ne vous a probablement pas dit de quoi il s'agissait.

— Chante, Fifi !

Le regard de Torrence semblait dire: « Vous voyez comment elle est? »

Et Maigret, sans perdre patience:

— Vous êtes Française, Adrienne?

— Elle est Belge, intervint Torrence. J'ai trouvé sa carte d'identité dans son sac. Elle est née à Anvers et vit en France depuis cinq ans.

— Autrement dit, on peut vous retirer votre permis de séjour. Je suppose que vous travaillez dans les cabarets de nuit?

— Elle est femme nue aux Folies-Bergère !

C'était toujours Torrence qui parlait.

— Et alors? C'est parce que je suis femme nue que vous avez le droit d'entrer chez moi comme dans une écurie, oui? Vous, le gros (elle désignait Torrence), si je ne vous avais pas arraché votre chapeau de la tête, vous n'auriez pas pris la peine de l'enlever. N'empêche que, chaque fois que mon peignoir s'entr'ouvre, je sais bien où vous regardez.

— Ecoutez-moi, Adrienne. J'ignore ce que Larner vous a raconté. Il ne vous a probablement pas dit la vérité sur ses amis. Vous parlez l'anglais?

— Bien assez pour ce que j'en fais.

— Les deux hommes qui ont couché ici sont recherchés pour meurtre. Vous comprenez ça? Cela signifie que, leur ayant donné asile, vous pouvez être poursuivie pour complicité. Savez-vous combien cela va chercher?

Il avait frappé juste. Elle s'était arrêtée de marcher, le regardait avec anxiété.

— De cinq à dix ans.

— Je n'ai rien fait.

— J'en suis persuadé, et c'est bien pour cela que je vous ai dit que vous avez tort. C'est parfait d'aider les amis, à condition qu'il ne faille pas payer trop cher.

— Vous essayez de me faire parler.

— Le plus petit des deux hommes qui accompagnaient Bill s'appelle Charlie.

Elle ne protesta pas.

— L'autre est Tony Cicero.

— Je ne les connais pas. Je sais que Bill n'a jamais tué personne.

— Je le sais aussi. Je suis même persuadé que Bill ne les a pas aidés de son plein gré.

— Vous parlez sérieusement?

Elle regarda la bouteille, se servit encore un demi-verre, faillit en offrir à Maigret, haussa les épaules.

— Je connais Larner depuis des années, dit celui-ci.

— Il n'est en France que depuis deux ans.

— Mais il y a quinze ans que nous avons sa fiche dans nos dossiers. Comme quelqu'un me le disait ce matin, c'est un gentleman.

Elle l'observait, sourcils froncés, pas trop sûre qu'on ne fût pas en train de lui tendre un piège.

— Il y a au moins deux jours, probablement trois, que Charlie et Cicero se cachent chez vous. Vous avez un frigidaire?

Torrence intervint à nouveau:

— J'y ai pensé. J'en ai trouvé un dans la cuisine. Il est plein. Deux poulets froids, un demi-jambon, un saucisson presque entier...

— Hier soir, poursuivit Maigret, quelqu'un leur a transmis un message par téléphone, et ils sont partis précipitamment tous les trois.

Elle alla s'asseoir dans un fauteuil et, avec une pudeur inattendue, ramena les pans de son peignoir sur ses jambes et sur ses cuisses.

— Ils sont rentrés dans le courant de la nuit. Je suis persuadé qu'ils ont bu. Tel que je connais Bill Larner, il a dû boire sérieusement, car il venait d'assister à une scène qui lui aura mis les nerfs en pelote.

Comme Torrence allait et venait dans l'appartement, elle lui lança:

— Vous, essayez donc de rester tranquille.

Puis elle se tourna vers Maigret.

— Et alors?

— J'ignore à quelle heure, ce matin, ils ont reçu un nouveau message. Pas avant onze heures, en tout cas. Sans doute dormaient-ils, Bill dans votre lit, les deux autres dans cette pièce. Ils se sont habillés en hâte. Vous ont-ils dit où ils allaient?

— Vous essayez de me mettre dedans!

— J'essaie, au contraire, de vous en tirer!

— C'est vous, le Maigret dont on parle souvent dans les journaux?

— Pourquoi?

— Parce qu'on prétend que vous êtes régulier. Mais je n'aime pas le gros.

— Qu'est-ce qu'ils vous ont dit en partant?

— Rien. Même pas merci.

— Quel air avait Bill?

— Je n'ai pas encore admis que Bill était ici.

— Vous avez dû entendre ce qu'ils racontaient quand ils se préparaient à partir.

— Ils parlaient anglais.

— Je croyais que vous connaissiez l'anglais.

— Pas ce genre de mots-là.

— Cette nuit, quand il était seul avec vous dans la chambre, Bill vous a parlé de ses camarades.

— Comment le savez-vous?

— Il ne vous a pas confié qu'il essayerait de s'en débarrasser?

— Il m'a dit que, dès qu'il le pourrait, il les conduirait à la campagne.

— Où?

— Je ne sais pas.

— Il se rendait souvent à la campagne?

— Pour ainsi dire jamais.

— Vous n'y êtes jamais allés ensemble?

— Non.

— Vous étiez sa maîtresse?

— De temps en temps.

— Vous êtes déjà montée dans son appartement de l'*Hôtel Wagram?*

— Une fois. Je l'y ai trouvé avec une poule. Il m'a flanquée à la porte. Puis, trois jours après, il est venu me voir comme si de rien n'était.

— Il est pêcheur?

Elle rit.

— Vous voulez dire pêcheur à la ligne? Non! Ce n'est pas son genre.

— Il joue au golf?

— Ça, oui.

— Où?

— Je l'ignore. Je ne l'ai jamais accompagné.

— Il partait pour plusieurs jours?

— Il partait le matin et revenait le soir.

Cela ne collait pas. Ce qu'il fallait trouver, c'était un endroit où Larner avait l'habitude de passer la nuit.

— En dehors des deux hommes qui ont couché ici, il ne vous a jamais présenté des amis?

— Rarement.

— Quelle sorte d'amis?

— Surtout aux courses, des jokeys, des entraîneurs.

Torrence et Maigret se regardèrent. Ils sentaient qu'ils brûlaient.

— Il jouait beaucoup aux courses?

— Oui.

— Gros jeu?

— Oui.

— Il gagnait?

— Presque toujours. Il avait des tuyaux.

— Par les jokeys et les entraîneurs?

— C'est ce que j'ai compris.

— Il ne vous a jamais parlé de Maisons-Laffitte?

— Il m'a téléphoné une fois de là.

— La nuit?

— A la fin du spectacle.

— Pour vous demander d'aller le rejoindre?

— Au contraire. Pour me dire qu'il ne pourrait pas venir.

— Il devait y coucher?

— Sans doute.

— Dans une auberge?

— Il ne m'a pas précisé.

— Je vous remercie, Adrienne. Je m'excuse de vous avoir dérangée.

Elle paraissait surprise qu'il ne l'emmenât pas, avait de la peine à croire qu'on ne lui eût pas tendu un piège.

— Lequel est-ce qui a tué? demanda-t-elle comme Maigret avait déjà la main sur le bouton de la porte.

— Charlie. Cela vous étonne?

— Non. Mais j'aime encore moins l'autre qui est froid comme un crocodile.

Elle ne répondit pas au salut de Torrence, adressa un vague sourire à Maigret qui la saluait presque cérémonieusement.

En descendant, le commissaire dit à son compagnon:

— Il faut faire brancher son téléphone sur la table d'écoute. Cela ne donnera probablement rien. Ces gars-là se méfient.

Puis, se souvenant de l'insistance de Pozzo et de Luigi à le mettre en garde contre les tueurs, il ajouta:

— Tu fais mieux de la surveiller. Ce n'est pas une mauvaise fille et ce serait dommage qu'il lui arrivât malheur.

Le restaurant de Pozzo était à deux pas, avec Lucas toujours en planque aux alentours. Maigret fit passer la voiture par la rue des Acacias.

— Rien à signaler?

— Un des types que vous m'avez décrits, un de ceux qui jouaient au poker d'as, est entré il y a un quart d'heure.

Ils étaient juste en face du restaurant. Maigret

se donna le plaisir de descendre tranquillement de voiture, de pousser la porte, en touchant le bord de son chapeau.

— Salut, Pozzo.

Puis, se tournant vers le client assis au bar:

— Carte d'identité, s'il vous plaît.

Le type avait l'air d'un musicien de boîte de nuit ou d'un danseur mondain. Il hésita, sembla demander conseil à Pozzo qui regardait ailleurs.

Maigret nota le nom et l'adresse dans son calepin.

Chose curieuse, ce n'était pas un Italien, ni un Américain, mais un Espagnol qui, d'après ses papiers, exerçait la profession d'artiste lyrique. Il logeait dans un petit hôtel de l'avenue des Ternes.

— Je vous remercie.

Il rendit la carte, ne posa aucune question, toucha à nouveau le bord de son chapeau, tandis que l'Espagnol et Pozzo le regardaient partir avec stupeur.

# CHAPITRE

# 5

*Où, pendant qu'un certain Baron se met en chasse,*
*Maigret a le tort d'aller au cinéma.*

MAIGRET, A L'ARRIÈRE
de la voiture, était engoncé dans son pardessus,
bien au chaud, à regarder les lumières qui défi-
laient, à ruminer, et, quand on traversa la place
de la Concorde, il dit au chauffeur:

— Fais un détour par la rue des Capucines.
J'ai un coup de téléphone à donner.

Il s'agissait de téléphoner au Quai des Orfèvres et il n'aurait fallu que cinq minutes pour
s'y rendre directement. Mais cela ne lui déplaisait
pas de retourner au *Manhattan* dans un autre
état d'esprit que celui du matin et, au fond, il
n'était pas fâché non plus de boire un whisky, il
en avait retrouvé le goût sans déplaisir.

Le bar était plein, et trente visages au moins
s'alignaient le long du comptoir, dans la fumée des
cigarettes. Tout le monde, ou presque, parlait
l'anglais, et quelques consommateurs étaient plon-
gés dans la lecture des journaux américains. Luigi
et deux aides s'affairaient à mélanger des bois-
sons.

— Le même Whisky que ce matin, prononça
Maigret avec un petit air tranquille et souriant
qui frappa le propriétaire.

— Un bourbon?

— C'est vous qui me l'avez servi. Je ne sais
pas.

Luigi ne paraissait pas content de le voir, et il
sembla à Maigret qu'il faisait du regard une brève
revue des clients, comme pour s'assurer qu'il n'y
avait là personne que le commissaire n'aurait pas
dû rencontrer.

— Dites donc, Luigi...

— Un moment...

Il servait à gauche, servait à droite, s'affairait
beaucoup plus qu'il n'était nécessaire, comme pour
décourager les questions du policier.

— Je disais, Luigi, qu'il y a un autre de vos
compatriotes que j'aimerais rencontrer. Est-ce que
vous avez déjà entendu parler d'un certain Mascarelli, qu'on appelle aussi Sloppy Joe.

Il avait parlé d'une voix normale, alors qu'autour de lui certains criaient pour se faire entendre.
Pourtant dix personnes au moins le regardèrent
curieusement. Il avait un peu l'impression d'être
le monsieur qui, dans une réunion de vieilles
dames, s'est laissé aller à une plaisanterie gra-
veleuse.

Quant à Luigi, il laissait tomber:

— Connais pas et ne désire pas connaître.

Maigret se dirigea, content de lui, vers la cabine
téléphonique.

— C'est toi, Janvier? Veux-tu voir si le Baron
est encore dans la maison? Si oui, prie-le de m'attendre. Sinon, essaie de le joindre par téléphone

et demande-lui de passer le plus tôt possible au
Quai. J'ai absolument besoin de lui parler.

Il se faufilait entre les groupes qui buvaient,
debout, allait vider son verre, observait un visage qu'il avait déjà vu. C'était un grand garçon
blond qui paraissait sortir d'un film américain
et qui, de son côté, suivait le commissaire des
yeux.

Luigi était trop occupé pour lui dire au revoir,
et Maigret retrouva sa voiture, pénétra un quart
d'heure plus tard dans son bureau, où un personnage assis dans l'unique fauteuil se leva d'une détente.

C'était l'homme qu'on appelait le Baron, non
parce qu'il était baron, mais parce que c'était son
nom. Il n'appartenait pas à la brigade de Maigret.
Depuis vingt-cinq ans, il était spécialisé dans les
champs de courses et préférait rester toute sa vie
inspecteur que changer de besogne.

— Vous m'avez fait demander, commissaire?

— Asseyez-vous, vieux. Un instant...

Maigret retirait son pardessus, passait à côté
voir s'il n'y avait pas de message pour lui, s'instal-
lait enfin en bourrant une pipe.

A force de fréquenter les hippodromes, où il
ne s'occupait pas du menu fretin de la pelouse,
mais seulement des habitués du pesage, le Baron
avait fini par leur ressembler, portant volontiers,
comme eux, des jumelles en bandoulière, arborant,
le jour du Grand Prix, un melon gris-perle et des
guêtres assorties. Certains prétendaient qu'ils l'a-
vaient vu un monocle à l'oeil, et c'était possible;
c'était possible aussi, comme le bruit en courait,
qu'il fût devenu un enragé du pari mutuel.

— Je vais vous exposer le problème, et vous me direz ce que vous en pensez.

Maigret, au cours de sa carrière, avait passé par presque tous les services, y compris la voie publique, les gares et les grands magasins, y compris aussi, à sa vive contrariété, la brigade des moeurs, mais il ne s'était jamais occupé des champs de courses.

— Supposez un Américain qui vit à Paris depuis deux ans et qui fréquente régulièrement les hippodromes...

— Quel genre d'Américain?

— Pas un de ceux qui assistent aux réceptions de l'ambassade. Un escroc de haut vol, Bill Larner.

— Je connais, dit tranquillement le Baron.

— Bon. Cela facilite les choses. Pour certaines raisons, Larner, ce matin, s'est trouvé dans la nécessité de se cacher, ainsi que deux de ses compatriotes nouvellement débarqués, qui ne parlent pas un seul mot de français. Ils savent que nous possédons leur signalement, et je doute qu'ils aient pris le train ou l'avion. Je doute même qu'ils se soient beaucoup éloignés de Paris, où quelque chose paraît les retenir. Ils n'ont pas de voiture, mais ils ont le chic d'emprunter la première auto venue au bord du trottoir et de l'abandonner ensuite.

Le Baron écoutait attentivement, avec la mine du spécialiste appelé en consultation.

— J'ai rencontré Larner avec un certain nombre de jolies filles, dit-il.

— Je sais. C'est même chez l'une d'elles qu'il était planqué jusqu'à aujourd'hui avec ses deux copains. Je doute qu'il joue deux fois le même jeu.

— Moi aussi. Il est malin.

— Je me suis laissé dire, justement par cette fille, qu'il a des amis dans le milieu des jockeys et des entraîneurs. Vous voyez où je veux en venir ? Il a dû prendre une décision rapidement, trouver, d'une minute à l'autre, un gîte sûr. Il est plus que probable qu'il s'est adressé à un compatriote. Vous connaissez beaucoup d'Américains dans le monde des courses ?

— Il y en a quelques-uns. Moins que d'Anglais, évidemment. Attendez. Je pense à un jockey, le petit Lope, mais, si je ne me trompe, il est en train de courir à Miami. J'ai rencontré aussi un entraîneur, Teddy Brown, qui s'occupe de l'écurie d'un de ses compatriotes. Il en existe certainement d'autres.

— Attendez, Baron. Il est indispensable que le gars auquel je pense habite un endroit sûr. A mon avis, ce qu'il faut, c'est vous mettre dans la peau de Bill Larner, vous demander où vous seriez à l'abri. Il paraît qu'il lui est arrivé de coucher à Maisons-Laffitte ou aux environs.

— Pas si bête.

— Qu'est-ce qui n'est pas bête ?

— Il existe, par là, un certain nombre d'écuries. Vous avez besoin de ma réponse tout de suite ?

— Le plus tôt possible.

— Dans ce cas, j'aurais besoin, moi, d'aller rôder dans certains bars que je connais afin de me rafraîchir la mémoire. Ces gens-là, ça va et ça vient. Si j'ai une réponse ce soir, où devrai-je vous l'adresser ?

— Chez moi.

Il se dirigea vers la porte, l'air important, et Maigret, après une hésitation, l'arrêta.

— Encore un mot. Soyez prudent. Quand vous aurez un tuyau, n'allez pas vous-même sur les lieux. Nous avons affaire à des tueurs.

Il ne pouvait s'empêcher de prononcer ce mot-là avec une certaine ironie, car on le lui avait par trop seriné depuis quarante-huit heures.

— Compris. Je vous téléphonerai presque sûrement ce soir. En tout cas, j'aurai quelque chose demain matin. Cela ne fait rien si cela coûte quelques tournées?

Quand Maigret arriva Boulevard Richard-Lenoir, il trouva Mme Maigret habillée comme pour sortir. Il s'était promis de se mettre au lit avec un grog et de l'aspirine afin de couper le rhume qui commençait à le travailler, mais il se souvint qu'on était vendredi, que c'était le jour du cinéma.

— Lognon? questionna sa femme.

Il en avait des nouvelles fraîches. En fin de compte, l'Inspecteur Malgracieux faisait bel et bien une pneumonie qu'on espérait enrayer à la pénicilline, mais les médecins étaient plus inquiets du coup qu'il avait reçu sur le crâne.

— Pas de fracture. On craint un traumatisme au cerveau. Vers quatre heures, il ne savait plus très bien ce qu'il racontait.

— Que dit sa femme?

— Elle prétend qu'on n'a pas le droit de séparer des gens mariés depuis trente ans, insiste pour qu'on le transporte chez elle ou pour qu'on l'autorise, elle, à s'installer à l'hôpital.

— On le lui a permis?

— Non.

Ils avaient l'habitude de marcher tranquillement bras dessus bras dessous, jusqu'au boulevard Bonne-Nouvelle, et ils ne mettaient pas longtemps à choisir un cinéma. Maigret n'était pas difficile en fait de films. Plus exactement, il préférait un film bien quelconque à n'importe quelle grande production et, enfoncé dans son fauteuil, regardait défiler les images sans se préoccuper de l'histoire. Plus le cinéma était populaire, avec une atmosphère épaisse, des gens qui riaient aux bons moments, mangeaient des chocolats glacés ou des cacahuètes, des amoureux enlacés, plus il était content.

Il régnait toujours un froid humide. A la sortie, ils s'assirent près du brasero d'une terrasse pour boire un verre de bière, et il était onze heures quand ils poussèrent la porte de l'appartement et entendirent la sonnerie du téléphone.

— Allô ! Baron ?

— C'est Vacher, ici, monsieur le commissaire. J'ai pris la garde au bureau à huit heures. Depuis neuf heures, j'essaie de vous joindre.

— Il y a du nouveau ?

— Un pneumatique à votre adresse. Une écriture de femme. En grosses lettres, il porte la mention *extrêmement urgent*. Vous voulez que je l'ouvre et que je vous le lise ?

— Je t'en prie.

— Un instant. Voilà :

*Monsieur le commissaire,*

*Il est d'une importance capitale que je vous voie le plus tôt possible. C'est une question de vie ou de mort. Malheureusement, je ne peux pas quitter ma chambre et je ne sais même pas comment je vous ferai parvenir ce message. Pouvez-vous pas-*

*ser me voir à l'*Hôtel de Bretagne, *rue Richer,
presque en face des Folies-Bergère? j'occupe la
chambre* 47. *N'en parlez à personne. Quelqu'un
rôde probablement autour de l'hôtel.*

*Venez, je vous en supplie.*

La signature, peu lisible, commençait par un
M.

— Probablement Mado, dit Vacher. Je n'en suis
pas sûr.

— A quelle heure le pneu a-t-il été mis à la
poste?

— A huit heures dix.

— J'y vais. Rien d'autre? Pas de nouvelles de
Lucas ou de Torrence?

— Lucas est au restaurant Pozzo. Il paraît que
Pozzo l'a fait entrer en disant qu'il était stupide
d'attendre sur le trottoir alors qu'il faisait plus
chaud à l'intérieur. Il demande des instructions.

— Qu'il aille se coucher.

Mme Maigret, qui avait écouté, soupira sans
protester, tandis que Maigret cherchait son chapeau. Elle avait l'habitude.

— Tu crois que tu rentreras cette nuit? Tu
ferais mieux, en tout cas, d'emporter une écharpe.

Il avala une gorgée de prunelle avant de partir, dut marcher jusqu'à la République avant de
trouver un taxi.

— Rue Richer, en face des Folies-Bergère.

Il connaisait l'*Hôtel de Bretagne,* où les deux
premiers étages étaient réservés à ce que ces messieurs les propriétaires appellent le *casuel,* c'est-à-
dire aux filles qui amènent un client pour une
heure ou pour un moment. Les autres chambres
étaient louées à la semaine ou au mois.

Le théâtre avait fermé ses portes, et il n'y avait plus, dans la rue, que quelques obstinées qui faisaient les cent pas.

— Tu viens?

Il haussa les épaules, entra dans le couloir mal éclairé, frappa à la porte vitrée de droite derrière laquelle une lumière s'alluma.

— Qui est-ce? grommela une voix endormie.

— Pour le 47.

— Montez...

Il voyait vaguement, derrière le rideau, un homme couché sur un lit de camp, près du tableau des clefs. L'homme tendit le bras vers une poire en caoutchouc qui déclenchait l'ouverture de la seconde porte.

Mais son geste resta en suspens. Il lui avait fallu un certain temps pour reprendre ses esprits. Au début, le chiffre 47 ne lui avait rien dit.

— Il n'y a personne! grogna-t-il en se recouchant.

— Un instant. J'ai besoin de vous parler.

— Qu'est-ce que vous voulez?

— Police !

Maigret préféra ne pas essayer de comprendre les mots bredouillés, qui n'étaient certainement pas des amitiés. L'homme, dans son cagibi, sortait du lit où il était couché en pantalon. L'oeil torve, il s'approchait de la porte vitrée, tournait la clef dans la serrure. Son regard se posait enfin sur Maigret, et il fronça les sourcils.

— Vous n'êtes pas des Moeurs?

— Comment savez-vous qu'il n'y a personne au 47?

— Parce que voilà plusieurs jours que le type

est parti et que j'ai vu la femme sortir tout à
l'heure.

— A quel moment?

— Je ne sais pas au juste. Peut-être vers neuf
heures et demie.

— Elle s'appelle Mado?

Le gardien haussa les épaules.

— Moi, je ne fais que la nuit et je ne connais
pas les noms. Elle a remis sa clef en passant.
Tenez! La voilà au tableau.

— Cette dame était seule?

Il ne répondit pas tout de suite.

— Je vous demande si cette dame était seule.

— Qu'est-ce que vous lui voulez? Ça va! Pas
la peine de vous fâcher. Quelqu'un était monté
la voir un peu avant.

— Un homme?

Le gardien de nuit était stupéfié que, dans une
maison comme celle-là, on eût la naïveté de lui
poser pareille question.

— Combien de temps est-il resté là-haut?

— Dix minutes à peu près.

— Il a demandé le numéro de sa chambre?

— Il n'a rien demandé du tout. Il est monté sans
même me regarder. A cette heure-là, les portes ne
sont pas fermées.

— Comment savez-vous qu'il est allé au 47?

— Parce qu'il est redescendu avec elle.

— Vous avez les fiches?

— Non. La patronne les garde dans son bureau qui est fermé à clef.

— Où est la patronne?

— Dans son lit, avec le patron.

— Donnez-moi la clef du 47 et allez la réveiller. Dites-lui de me rejoindre là-haut.

L'homme regarda Maigret d'un drôle d'air, soupira :

— Vous, vous avez du courage. Vous êtes sûr que vous êtes de la police, au moins ?

Maigret lui montra sa médaille et, la clef de la chambre à la main, s'engagea dans l'escalier. Le 47 était au quatrième étage, une chambre banale, avec un lit de fer, une toilette au mur, un bidet, un mauvais fauteuil et une commode.

Le lit n'avait pas été défait. Sur le couvre-lit douteux, un journal était étalé, avec les photographies de Charlie Cinaglia et de Cicero en première page. C'était la dernière édition, sortie de presse vers six heures du soir. On y priait les personnes qui auraient rencontré les deux hommes d'en avertir d'urgence le commissaire Maigret.

Etait-ce à cause de cela que la femme qui paraissait s'appeler Mado lui avait envoyé un pneumatique ?

Dans un coin de la pièce, il y avait deux valises : une vieille, déjà usée, et une toute neuve. Les deux portaient les étiquettes d'une compagnie de navigation canadienne. Elles n'étaient pas fermées à clef. Maigret les ouvrit, commença à en étaler le contenu sur le lit, du linge, des vêtements féminins, la plupart à peu près neufs, achetés dans des magasins de Montréal.

— Ne vous gênez pas ! fit une voix à la porte.

C'était la patronne de l'hôtel, essoufflée d'avoir monté les étages. Elle était petite et dure, et ses cheveux gris roulés sur des bigoudis de métal n'étaient pas pour la rendre plus attrayante.

— D'abord, qui êtes-vous ?

— Commissaire Maigret, de la brigade spéciale.

— Qu'est-ce que vous voulez ?

— Savoir qui est la femme qui habite cette chambre.

— Pourquoi? Qu'est-ce qu'elle a fait?

— Je vous conseille de me remettre sa fiche sans discuter.

Elle l'avait apportée à tout hasard, mais elle ne la tendit qu'à regret.

— Tous, tant que vous êtes, vous n'apprendrez jamais les bonnes manières.

Elle se dirigeait vers une porte de communication qui était entr'ouverte, avec l'intention évidente de la fermer.

— Un instant. Qui occupe la chambre à côté?

— Le mari de cette dame. Ce n'est pas son droit?

— Laissez cette porte tranquille. Je vois que le couple est inscrit sous le nom de Perkins, M. et Mme Perkins, de Montréal, Canada.

— Et alors?

— Vous avez lu leur passeport?

— Je ne les aurais pas acceptés s'ils n'avaient pas été en règle.

— D'après ce papier, ils sont arrivés il y a un mois?

— Cela vous ennuie?

— Pouvez-vous me décrire John Perkins?

— Un petit brun, mal portant, avec de mauvais yeux.

— Pourquoi dites-vous qu'il a de mauvais yeux?

— Parce qu'il portait toujours des lunettes noires, même la nuit. Il a fait quelque chose de mal?

— Comment était-il habillé?

— De neuf des pieds à la tête. C'est assez naturel pour des nouveaux mariés, non?

— Ce sont des nouveaux mariés?

— Je le suppose.

— Qu'est-ce qui vous fait penser ça?

— Ils ne sortaient pour ainsi dire pas de leurs deux chambres.

— Pourquoi deux chambres?

— Cela, ça ne me regarde pas.

— Où prenaient-ils leurs repas?

— Je ne leur ai pas demandé. M. Perkins devait manger ici, car je ne l'ai pour ainsi dire jamais vu sortir de la journée, surtout les derniers temps.

— Qu'appelez-vous les derniers temps?

— La dernière semaine. Ou les deux dernières semaines.

— Il ne prenait jamais l'air?

— Seulement le soir.

— Avec des lunettes noires?

— Je vous dis ce que j'ai vu. Tant pis si vous ne me croyez pas.

— Sa femme sortait?

— Elle allait lui acheter de quoi manger. Je suis même montée pour m'assurer qu'ils ne faisaient pas de cuisine, car c'est interdit dans la maison.

— De sorte que, pendant des semaines, il s'est contenté de plats froids.

— Cela en a l'air.

— Vous n'avez pas trouvé ça bizarre?

— Avec les étrangers, on en voit de plus bizarres.

— Le gardien de nuit m'a appris que Perkins a quitté l'hôtel il y a quelques jours. Pouvez-vous vous rappeler quand vous l'avez vu pour la dernière fois?

— Je ne sais pas. Dimanche ou lundi.

— Il n'a pas emporté de bagages?

— Non.

— Il a annoncé qu'il s'absentait?

— Il n'a rien annoncé du tout. Il aurait pu me raconter tout ce qu'il aurait voulu que je n'aurais pas compris, vu qu'il ne connaissait pas un mot de français.

— Et sa femme?

— Elle le parle comme vous et moi.

— Sans accent?

— Un accent qui ressemble à l'accent belge. Il paraît que c'est l'accent canadien.

— Ils avaient un passeport canadien?

— Oui.

— Comment avez-vous su que Perkins était parti?

— Il est allé se promener, un soir, dimanche ou lundi, je vous l'ai déjà dit, et le lendemain, Lucile, qui fait les chambres à cet étage, m'a appris qu'il n'était plus là et que sa femme paraissait inquiète. Si vous en avez encore pour longtemps à me poser des questions, je fais mieux de m'asseoir.

Elle s'assit avec dignité, le regarda d'un air réprobateur.

— Est-il arrivé aux Perkins de recevoir des visites?

— Pas à ma connaissance.

— Où se trouve le téléphone?

— Dans le bureau, où je me tiens toute la journée. Ils n'ont jamais téléphoné ni l'un ni l'autre.

— Ils recevaient du courrier?

— Ils n'ont pas reçu une seule lettre.

— Mme Perkins n'allait-elle pas en retirer à la poste restante?

— Je ne l'ai pas suivie. Dites donc, vous êtes

sûr que vous avez le droit de fouiller dans leurs affaires?

Car Maigret, tout en parlant, avait continué à vider les deux valises, dont le contenu s'étalait maintenant sur le lit.

Les vêtements n'étaient ni riches ni pauvres, d'assez bonne qualité. Les chaussures avaient des talons exagérément hauts, et la lingerie aurait plutôt convenu à une entraîneuse de boîte de nuit qu'à une jeune mariée.

— Je désire visiter la chambre voisine.

— Au point où vous en êtes!

Elle le suivit, comme pour l'empêcher d'emporter quoi que ce fût. Ici aussi il y avait des valises neuves, achetées à Montréal, et tous les vêtements d'homme étaient neufs, tous portaient des marques canadiennes. On aurait dit que le couple avait décidé de faire soudain peau neuve et, en quelques heures, avait acheté le nécessaire au voyage. Sur la commode, traînaient une dizaine de journaux américains qu'on ne trouve guère que dans certains kiosques de la place de l'Opéra et de la Madeleine.

Pas une photographie. Pas un papier. Tout au fond d'une des valises, Maigret trouva un passeport au nom de M. et Mme John Perkins, de Montréal, Canada. D'après les visas et les cachets, le couple s'était embarqué six semaines plus tôt à Halifax et avait débarqué à Southampton, d'où il avait gagné la France *via* Dieppe.

— Vous avez ce que vous vouliez?

— Lucile, la femme de chambre habite l'hôtel?

— Elle couche au septième.

— Priez-la de descendre.

— Pourquoi pas? C'est tellement pratique d'être

de la police ! On réveille les gens à n'importe quelle
heure de la nuit, on les empêche de dormir et...

Elle continuait encore à parler toute seule dans
l'escalier.

Maigret mit la main sur une bouteille d'encre
bleue qui avait servi à écrire le pneumatique. Il
trouva aussi, à l'extérieur d'une des fenêtres, un
paquet de charcuterie qu'on y tenait au frais.

Lucile était une petite noiraude qui louchait et
qui avait la manie de laisser un sein mou
jaillir à tout bout de champ de son peignoir
bleu-ciel.

— Je n'ai plus besoin de vous, dit Maigret à
la patronne. Vous pouvez aller vous recoucher.

— Vous êtes trop aimable. Ne te laisse pas
impressionner, Lucile.

— Non, madame.

Lucile n'était pas le moins du monde impres-
sionnée. La porte à peine refermée, elle prononçait
avec une sorte d'extase :

— C'est vrai que vous êtes le fameux commissaire Maigret ?

— Asseyez-vous, Lucile. J'aimerais que vous
me disiez tout ce que vous savez au sujet des Perkins.

— J'ai toujours pensé que c'était un drôle de
couple.

Elle trouva le moyen de rougir.

— Vous ne trouvez pas drôle, vous, quand on
est marié, de faire chambre à part ?

— Ils ne couchaient jamais dans le même lit ?

— Jamais.

— Vous êtes sûre que, le soir, ils n'allaient pas
se rejoindre ?

— Voyez-vous, nous, les femmes de chambre,

à la façon dont nous trouvons un lit le matin, nous savons tout de suite, si…

Elle rougissait de plus belle en rentrant provisoirement son sein dans le peignoir.

— Autrement dit, votre impression est qu'ils ne couchaient pas ensemble?

— J'en suis à peu près sûre.

— A quel moment faisiez-vous le ménage?

— Cela dépendait des jours. Parfois vers neuf heures du matin, parfois l'après-midi. Pour sa chambre à elle, j'attendais autant que possible qu'elle soit dehors. Mais lui était toujours là.

— A quoi passait-il son temps?

— Il lisait ses gros journaux de je ne sais combien de pages, faisait des mots croisés ou bien écrivait des lettres.

— Vous l'avez vu écrire des lettres?

— Oui. Assez souvent.

— Il n'est jamais sorti de la journée?

— Seulement au début. Certainement pas depuis quinze jours.

— Il souffrait des yeux?

— Pas dans la chambre. Il ne portait jamais ses lunettes quand il était ici, mais les mettait pour aller au cabinet qui est au bout du couloir.

— Autrement dit, il se cachait?

— Je crois.

— Il paraissait effrayé?

— J'en ai eu l'impression. Lorsque je frappais à la porte, je l'entendais sursauter, et il fallait que je dise mon nom avant qu'il tire le verrou.

— Elle aussi?

— Ce n'était pas la même chose. Sauf depuis lundi.

Le sein était à nouveau à l'air blême et flasque.

— Plus exactement depuis mardi matin. C'est mardi que je me suis aperçue que M. Perkins n'était plus ici.

— Elle vous a dit qu'il était parti en voyage?

— Elle ne m'a rien dit. Elle n'était plus la même. Plusieurs fois, elle m'a demandé d'aller lui acheter de la charcuterie et du pain. Ce soir…

— C'est vous qui avez porté le pneumatique à la poste?

— Oui. Elle m'a sonné. Je faisais toutes ses petites commissions, et elle me donnait de bons pourboires. C'est moi aussi qui lui achetais les journaux.

— Vous lui avez monté celui de ce soir?

— Oui.

— Paraissait-elle avoir l'intention de sortir?

— Non. Elle était déshabillée.

— Et quand elle vous a remis le pneumatique?

— Elle portait une robe d'intérieur, tenez, celle qui pend au crochet.

— A quelle heure êtes-vous montée vous coucher?

— A neuf heures. Je commence mon service à sept heures du matin. C'est moi qui cire les chaussures de trois étages.

— Je vous remercie, Lucile. Si vous vous souveniez d'un détail quelconque, appelez-moi au Quai des Orfèvres. En cas d'absence, faites la commission à l'inspecteur qui vous répondra.

— Oui, monsieur Maigret.

— Vous pouvez aller dormir.

Elle tourna encore un moment autour de lui, sourit, murmura :

— Bonsoir, monsieur Maigret.

— Bonsoir, Lucile.

Il descendit quelques minutes plus tard et trouva le gardien de nuit qui l'attendait devant une bouteille de vin rouge.

— Alors, qu'est-ce que la patronne vous a raconté?

— Elle a été fort aimable, répondit le commissaire. Lucile aussi.

— Lucile vous a fait des avances?

Sans doute était-ce dans les habitudes de la femme de chambre?

— Vous prenez tous les jours votre service à neuf heures?

— Oui. Mais je ne me couche pas avant onze heures, et même un peu plus tard, au moment où les Folies ferment leurs portes.

— Vous avez bien vu l'homme qui est venu chercher Mme Perkins ce soir?

— Seulement à travers le rideau, mais suffisamment.

— Décrivez-le-moi.

— Un grand, blond, avec un chapeau mou rejeté en arrière. Il ne portait pas de pardessus, c'est ce qui m'a le plus frappé, car le temps est froid.

— Peut-être avait-il sa voiture à la porte?

— Non. Je les ai entendus marcher le long du trottoir.

Maigret eut l'impression que cette histoire de pardessus lui rappelait quelque chose, mais cela ne lui revenait pas tout de suite.

— Elle paraissait l'accompagner de son plein gré?

— Que voulez-vous dire?

— Elle a ouvert la porte du bureau?

— Il lui fallait bien l'ouvrir pour me donner sa clef.

— L'homme est resté dans le couloir?

— Oui.

— Il n'avait pas l'air de la menacer?

— Il fumait paisiblement sa cigarette.

— Elle ne vous a laissé aucun message?

— Rien du tout. Elle m'a tendu sa clef en disant :

» Bonsoir, Jean.

» C'est tout.

— Vous avez noté comment elle était habillée?

— Elle portait un manteau plutôt sombre et un chapeau dans les tons gris.

— Elle n'avait aucun bagage?

— Non.

— Quand son mari sortait, le soir, lui arrivait-il de prendre une voiture?

— Je l'ai toujours vu partir et revenir à pied.

— Il allait loin?

— Je ne crois pas. Il n'était jamais beaucoup plus d'une heure absent.

— Sortaient-ils parfois ensemble?

— Au début.

— Pas depuis quinze jours?

— Je ne crois pas, non.

— Il avait toujours ses lunettes noires?

— Oui.

Le 47 et la chambre voisine, là-haut, donnaient toutes les deux sur la rue. Si la femme n'accompagnait pas le soi-disant Perkins, cela signifiait-il qu'elle faisait le guet pour s'assurer que la voie était libre? Peut-être, au retour de l'homme, un signal lui annonçait-il qu'il n'y avait pas de danger à rentrer?

La description de Perkins, vêtements à part, ressemblait assez à celle de Mascarelli, dit Sloppy Joe.

Sa disparition, pendant la nuit du lundi au mardi, n'indiquait-elle pas qu'il pourrait bien être l'inconnu qu'une voiture avait lancé sur le trottoir de la rue Fléchier, presque aux pieds du pauvre Lognon?

Maigret tira de sa poche une photographie de Bill Larner, la montra au gardien.

— Vous ne le reconnaissez pas?

— Je ne l'ai jamais vu.

— Vous êtes sûr que ce n'est pas lui qui est venu chercher Mme Perkins?

— Sûr et certain.

Il montra les deux autres photos, de Charlie et de Cicero.

— Ceux-ci?

— Connais pas. J'ai vu ça ce soir dans le journal.

Maigret était venu avec un taxi qu'il n'avait pas gardé. Il se mit à marcher vers le faubourg Montmartre, dans l'espoir de trouver une voiture, et il n'avait pas parcouru cent mètres qu'il eut l'impression d'être suivi.

Il s'arrêta et cessa automatiquement d'entendre les pas assez loin derrière lui. Il repartit, et les pas résonnèrent à nouveau. Il fit volte-face, et quelqu'un, à plus de cinquante mètres, fit aussi demi-tour.

Il ne distinguait qu'une vague silhouette dans l'ombre des maisons. Il ne pouvait évidemment pas se mettre à courir. Il ne pouvait pas non plus héler l'inconnu.

Faubourg Montmartre, il ne s'occupa plus des

taxis qui passaient, entra dans un bar ouvert toute la nuit, où deux ou trois femmes attendaient sans trop d'espoir au comptoir.

Persuadé que l'inconnu était dehors, à le guetter, il commanda un petit verre et se dirigea vers la cabine téléphonique.

# 6

*Où tout le monde se met à jouer dur et où il y a de la casse.*

LE COMMISSARIAT du 3° quartier n'était qu'à quelques maisons du bar violemment éclairé où Maigret se trouvait, et c'était ce commissariat-là qui, sans le zèle de Lognon, aurait dû s'occuper de l'affaire, puisque la rue Fléchier, où un corps avait été abandonné sur le trottoir, était à la limite de son territoire.

Maigret, l'oeil soucieux, composait le numéro.

— Allô! Qui est à l'appareil? C'est Maigret qui parle.

— Inspecteur Bonfils, monsieur le commissaire.

— Combien as-tu d'hommes avec toi, Bonfils?

— Seulement deux, le grand Nicolas et Danvers.

— Ecoute-moi bien. Je suis au *Bar du Soleil*. Un type m'a pris en filature.

— Comment est-il?

— Je n'en sais rien. Il a soin de se tenir dans l'ombre, à une distance suffisante pour que je ne distingue qu'une silhouette.

— Vous voulez qu'on l'interpelle?

Maigret faillit, comme Pozzo, comme Luigi, répliquer avec agacement : « Il ne s'agit pas d'un amateur. »

— Ecoute-moi bien, dit-il. Si le type s'est approché de la devanture et m'a vu pénétrer dans la cabine, il a compris et, dans ce cas, il est sans doute en train de prendre le large. S'il ne m'a pas vu, il aura quand même pensé à la possibilité d'un coup de téléphone et... Qu'est-ce que tu racontes ?

— Je dis que les gens ne pensent pas à tout.

— *Ceux-là*, oui. De toute façon, il est sur ses gardes.

Sans voir le visage de Bonfils, Maigret était sûr qu'il était légèrement ironique. Quelle histoire pour interpeller un type dans la rue au moment où il ne s'y attend pas. C'était de la routine. Cela arrivait dix fois par jour.

— Vous restez dans le bar, patron ?

— Non. Il y a encore des passants. J'aime mieux que l'opération se déroule dans une rue déserte. La rue Grange-Batelière fera l'affaire. Elle n'est pas longue et il sera facile de la fermer aux deux bouts. Tu vas tout de suite envoyer deux ou trois agents en uniforme dans la rue Drouot, en leur recommandant de ne pas se montrer et de tenir leur revolver prêt.

— C'est si sérieux que ça ?

— Probablement. Nicolas et Danvers iront prendre place sur les marches du passage Jouffroy. Je suppose qu'à cette heure-ci les grilles du passage sont fermées ?

— Oui.

— Répète-leur les instructions plutôt deux fois qu'une. Dans dix minutes environ, je sortirai du

bar et me dirigerai lentement vers la rue Grange-
Batelière. Je dépasserai le seuil du passage sans
que tes hommes bougent. Lorsque mon suiveur
arrivera à leur hauteur, ils lui sauteront dessus.
Attention ! il est sûrement armé.

Maigret ajouta, sachant bien qu'il faisait sourire l'inspecteur :

— Ou je me trompe, ou c'est un tueur. Quant
à toi, tu prendras quelques sergents de ville et tu
refermeras la rue du Faubourg-Montmartre.

Il est rare qu'on déploie de telles forces pour
arrêter un seul homme, et pourtant, à la dernière
minute, Maigret se ravisa.

— Pour plus de sûreté, poste donc une voiture
dans la rue Drouot.

— A propos de voiture, patron...

— Qu'est-ce qu'il y a?

— Ceci n'a probablement aucun rapport, mais
je vous le signale à tout hasard. L'homme vous
suit depuis longtemps?

— Depuis la rue Richer.

— Vous savez par quel moyen de transport il
est venu?

— Non.

— Il y a environ une demi-heure, un de nos
hommes a repéré, dans le faubourg Montmartre,
un peu plus haut que la rue Richer, justement,
une voiture volée dont le signalement a été lancé
au début de l'après-midi.

— Où a-t-elle été volée?

— A la Porte Maillot.

— Ton homme l'a emmenée?

— Non. Elle est toujours au même endroit.

— Qu'on n'y touche pas. Maintenant, répète
les instructions.

Bonfils les répéta comme un bon élève, y compris le mot *tueur* qu'il prononça avec un rien d'hésitation.

— Dix minutes te suffisent?

— Mettons-en quinze.

— Je quitterai le bar dans quinze minutes. Tout le monde armé.

Lui-même ne l'était pas. Il se dirigea vers le bar où, à cause du rhume qui couvait, il but un grog en tournant le dos aux filles qui le regardaient avec espoir.

Un couple, parfois, passait sur le trottoir. Il était une heure du matin, et la plupart des taxis se dirigeaient vers les boîtes de nuit de Montmartre. L'œil fixé sur l'horloge, Maigret but un second grog, boutonna son pardessus, ouvrit la porte et, les mains dans les poches, se mit en marche. Normalement, comme il rebroussait chemin, il aurait dû avoir son suiveur devant lui, mais il ne vit personne. L'homme était-il passé devant le bar pendant qu'il se trouvait dans la cabine?

Il évitait de se retourner, mettait tous les atouts dans son jeu, marchait à pas réguliers, s'arrêtait même sous un réverbère en faisant mine de consulter son carnet d'adresses.

L'auto volée était toujours au bord du trottoir, sans aucun policier en vue. En tout, il devait y avoir une dizaine de passants dans la rue, et on entendait les voix criardes d'un groupe qui semblait avoir beaucoup bu.

Rue Grange-Batelière, seulement, Maigret allait savoir si on le suivait toujours et il avait la poitrine un peu serrée en s'y engageant. Il avait parcouru une cinquantaine de mètres quand il crut entendre des pas qui tournaient le coin de la rue.

Maintenant, tout dépendait surtout du grand Nicolas, une sorte de colosse dont la joie était de se bagarrer. Maigret ne tourna pas la tête en passant devant le passage Jouffroy, mais il sut qu'il y avait deux silhouettes sur les marches séparant le trottoir du passage fermé. En face, deux ou trois fenêtres d'un hôtel étaient encore éclairées.

Il marchait toujours en fumant sa pipe, calculait que l'homme allait arriver à la hauteur du passage. Encore une dizaine de pas... Maintenant, il y était...

Maigret s'attendait à un bruit de lutte, probablement à des corps roulant sur le pavé. Ce qui l'arrêta net, ce fut une détonation que rien n'avait précédée.

Il se retourna, vit, au milieu de la rue, un homme petit et râblé qui tirait une seconde fois, puis une troisième, dans la direction du passage.

Un coup de sifflet retentit au coin du faubourg Montmartre : Bonfils, presque sûrement, qui alertait ses agents.

La rue Grange-Batelière était gardée aux deux bouts. Un corps avait roulé des marches, probablement Nicolas, car, étendu sur le trottoir, il paraissait gigantesque. Et l'autre, Danvers, tirait à son tour. Ceux du coin de la rue Drouot accouraient. L'un d'eux tirait beaucoup trop tôt, et Maigret faillit recevoir la balle. Puis l'auto de la police s'avançait.

Pratiquement, le tueur n'avait aucune chance d'échapper, et pourtant le miracle se produisit par le plus grand des hasards.

Au moment où, des deux côtés, les policiers s'approchaient, un camion de légumes déboucha au coin de la rue Drouot, se dirigeant, Dieu sait pourquoi? vers le faubourg Montmartre afin de gagner les Halles. Il roulait vite, faisait grand vacarme. Le conducteur ne comprit rien à ce qui se passait autour de lui. Il dut entendre les coups de revolver. Un des agents lui cria quelque chose, sans doute de s'arrêter, mais, pris de peur, le chauffeur, au contraire, appuya sur l'accélérateur et franchit la rue en trombe.

L'inconnu saisit l'occasion au vol, bondit sur l'arrière du camion, alors que Danvers tirait toujours, que Nicolas, couché sur le trottoir, continuait à tirer aussi.

La partie paraissait encore gagnée pour la police, étant donné que l'auto du commissariat suivait, mais elle n'avait pas atteint le coin du faubourg Montmartre qu'un de ses pneus, atteint par une balle, se dégonflait.

Bonfils, qui s'était garé au passage du camion, sifflait de plus belle afin d'alerter le ou les agents qui pouvaient se trouver en faction au coin des Grands Boulevards. Mais ceux-là ne savaient rien. Ils voyaient un camion passer, se demandaient ce qu'on attendait d'eux. Des passants, affolés, s'étaient mis à courir en entendant les détonations.

Dès lors, Maigret sut que la partie était perdue. Laissant le soin de la chasse à Bonfils, il s'approcha du grand Nicolas, se pencha sur lui.

— Blessé?

— En plein ventre! gronda celui-ci, dont le visage grimaçait.

Le car du poste de police arrivait. On en sortait un brancard.

— Vous savez, patron, je suis sûr de l'avoir eu

aussi, dit Nicolas au moment où on le hissait dans le véhicule.

C'était vrai. Quand, avec une torche électrique, on examina le pavé au milieu de la rue, à l'endroit où le gangster se tenait au moment de la bataille, on trouva quelques taches de sang.

De loin, on entendit encore deux ou trois coups de feu de l'autre côté des Grands Boulevards, en direction des Halles. Par là, l'homme n'allait avoir que trop d'occasions de s'échapper. C'était l'heure où les camions arrivaient de toutes les campagnes et où, en pleine rue, on commençait à décharger les légumes et les fruits. Tout le quartier était encombré. Des centaines de pauvres types guettaient l'occasion de gagner un peu d'argent en donnant un coup de main, des ivrognes sortaient des bars miteux.

Maigret, tête basse, se dirigea vers le poste de police, où il entra dans le bureau vide de Bonfils. Il y avait un petit poêle, au milieu, et le commissaire se mit machinalement à le recharger.

Le poste était presque vide. Il ne restait qu'un brigadier et trois hommes qui n'osaient pas le questionner et dont l'attitude exprimait la stupeur.

Cela ne se passait pas comme d'habitude. La partie s'était jouée trop vite, avec une précision, une dureté déroutantes.

— Vous avez averti Police-Secours? demanda Maigret au brigadier.

— Dès que j'ai su. Ils font cerner le quartier des Halles.

C'était la routine. Cela ne servirait à rien. Si l'homme était parvenu, dans une rue déserte, gardée aux deux bouts, à échapper à une demi-douzaine d'hommes armés, il n'aurait aucune peine à disparaître dans le grouillement des Halles.

— Vous n'attendez pas les résultats?

— Où a-t-on conduit Nicolas?

— A l'Hôtel-Dieu.

— Je vais au Quai des Orfèvres. Qu'on me tienne au courant.

Il prit un taxi et, en traversant les Halles, fut arrêté deux fois par des barrages de police. On avait commencé la grande rafle. Des filles couraient en tous sens pour y échapper. La voiture cellulaire stationnait près d'un des pavillons.

Pozzo et Luigi n'avaient pas tellement tort, Maigret le savait depuis le début. Les Cinaglia et compagnie n'étaient pas des débutants, ni des amateurs. On aurait dit qu'ils devinaient chaque nouveau mouvement de la police et agissaient en conséquence.

Il monta lentement le grand escalier, traversa le bureau des inspecteurs, où Vacher, qui ne savait encore rien, était en train de se préparer du café sur un réchaud.

— Vous en voulez, patron?

— Volontiers.

— Vous avez trouvé la Mado en question?

Mais, après un coup d'oeil au commissaire, il préféra ne pas insister.

Maigret avait retiré son pardessus. Sans le savoir il avait gardé son chapeau sur la tête et s'était assis devant son bureau, où, machinalement, il se mettait à jouer avec un crayon.

Avec l'air de ne pas y penser, il composa le numéro de son appartement, entendit la voix de sa femme qui disait :

— C'est toi?

— Je ne rentrerai probablement pas coucher.

— Qu'est-ce que tu as?

— Rien.

— Tu n'as pas l'air d'être dans ton assiette.
C'est ton rhume?

— Peut-être.

— Quelque chose ne va pas?

— Bonne nuit.

Vacher lui apportait une tasse de café fumant,
et il alla ouvrir son placard, où il avait toujours
une bouteille de fine en réserve.

— Tu en veux?

— Une goutte dans mon café ne ferait pas de
tort.

— Le Baron n'a pas téléphoné?

— Pas encore.

— Tu as son numéro personnel.

— Je l'ai noté.

— Appelle-le.

Cela l'inquiétait aussi. Baron avait promis de
téléphoner et il était peu probable qu'il fût encore
en chasse à cette heure.

— On ne répond pas, patron.

— Lucas?

— Je l'ai envoyé se coucher, comme vous me
l'aviez dit.

— Torrence?

— Il a suivi la dame aux Folies-Bergère,
puis dans une brasserie de la rue Royale, où elle
a soupé avec une amie. Elle est ensuite rentrée
chez elle, seule, et Janvier continue à surveiller
l'immeuble.

Maigret haussa les épaules. A quoi bon tout
ça, puisque l'adversaire parvenait toujours à le
gagner de vitesse? Il serrait les dents en pensant

à Pozzo et à ses avis, à l'attitude protectrice
de Luigi. L'un comme l'autre avaient l'air de
dire :

« Vous êtes bien gentil, commissaire, et ici, à
Paris, contre les criminels à la manque, vous êtes
un as. Mais cette affaire-ci n'est pas pour vous. Il
s'agit de gars qui jouent un jeu dur et qui ris-
quent de vous faire mal. Laissez tomber ! Est-ce
que cela vous regarde ? »

Il appela l'Hôtel-Dieu, eut de la peine à être mis
en communication avec un fonctionnaire capable
de le renseigner.

— On est en train de l'opérer, lui dit-on.

— Grave ?

— Laparatomie.

Lognon qu'on emmenait dans la forêt de Saint-
Germain pour lui marteler la figure à coups de
poing et lui assener un coup de crosse sur le crâne !
Le grand Nicolas à qui on envoyait une balle en
plein ventre avant qu'il ait eu le temps de bouger !

Autrement dit, tout en suivant Maigret dans
la rue Grange-Batelière, l'homme s'attendait à
un piège et avait son automatique à la main,
prêt à tirer. C'était miracle que Danvers n'y fût
pas passé aussi.

D'après sa silhouette, c'était Charlie. Et Charlie, qui connaissait à peine Paris, ne parlait pas
un mot de français, ne s'en venait pas moins,
tout seul, faire son coup en plein centre de la ville.

Mascarelli, lui, celui qu'on surnommait Sloppy
Joe, avait quitté Montréal sous un faux nom, en
compagnie d'une femme avec qui il ne semblait
pas avoir de rapports intimes.

Les deux autres, Charlie et Cicero, s'étaient
embarqués à New-York sans se cacher, sous leur

nom véritable, comme des gens qui n'ont rien à
craindre, et c'est sous leur vrai nom aussi qu'ils
s'étaient inscrits dans un hôtel de la rue de
l'Etoile.

Savaient-ils d'avance ce qu'ils venaient chercher? C'était probable. Ils savaient aussi à qui
s'adresser pour les aider.

Maigret aurait juré que ce n'était pas de gaîté
de cœur qu'un homme comme Bill Larner, qui
n'avait jamais employé la manière forte, leur avait
accordé sa collaboration.

D'une façon ou d'une autre, ils avaient mis la
main sur lui, l'avaient envoyé dans un garage à
louer une voiture.

Connaissaient-ils, en débarquant, l'adresse de
Mascarelli? Ce n'était pas sûr, puisqu'ils avaient
attendu près de deux semaines pour l'attaquer.

Ils ne faisaient rien à la légère, mettaient froidement tous les atouts dans leur jeu.

Pendant les deux semaines qu'ils avaient pré-
paré leur coup, il est probable qu'ils avaient fréquenté le restaurant de Pozzo en compagnie de
Larner.

Avaient-ils fréquenté aussi le *Manhattan?* C'é-
tait possible. Tout honnête homme qu'il était,
Luigi n'en aurait rien dit à Maigret. N'avait-il
pas parlé avec insistance des commerçants américains qui préfèrent payer rançon aux types des
rackets que de recevoir une balle dans la peau?

Sloppy Joe, de son côté, paraissait renseigné,
puisque, pendant les quinze derniers jours, c'est-
à-dire depuis le débarquement des deux autres, il
avait redoublé de précautions.

C'était une partie de poker où on jouait sa peau

et où chacun semblait deviner les cartes de l'adversaire.

Sloppy Joe, dans son hôtel de la rue Richer, se savait menacé, se terrait, ne sortant quelques minutes que le soir, affublé de lunettes noires comme certaines stars de cinéma.

Charlie et Cicero devaient l'observer pendant plusieurs jours, préparer leur piège et, le lundi soir, dans la voiture louée par Larner, ils se tenaient à l'affût près de l'*Hôtel de Bretagne*.

Les choses avaient dû se passer comme pour Lognon, l'auto qui se range au bord du trottoir, le revolver braqué sur Mascarelli...

— Monte !

En pleine ville, à une heure où il y a encore de la circulation. L'avaient-ils emmené à la campagne avant de tirer ? Probablement pas. Il y avait des chances pour qu'ils se soient servis d'un revolver muni d'un silencieux. Quelques instants plus tard, ils laissaient rouler le corps sur le trottoir de la rue Fléchier.

Maigret, sur une feuille de papier, crayonnait des bonshommes, comme un écolier en marge de ses cahiers.

Au moment où la voiture s'éloignait, Charlie, ou Cicero, apercevait la silhouette de Lognon. Sans doute était-il trop tard pour tirer. Au surplus, à ce moment-là cela n'avait plus d'importance que le corps fût découvert ou non, puisque la besogne était faite.

Sur tous ces points, Maigret était sûr de ne pas se tromper. L'auto faisait un tour dans le quartier, repassait quelques instants plus tard rue Fléchier, et les deux hommes constataient que le corps avait été enlevé. Cela ne pouvait être par la police, qui y aurait mis plus de temps et de formes. Or il n'y avait plus personne sur le trottoir.

Comment savoir qui avait procédé à l'enlèvement?

« *Ce sont des professionnels* », avait souligné Luigi.

Ils s'étaient réellement conduits en professionnels. Se doutant que l'homme qu'ils avaient entrevu avait noté le numéro de la voiture, ils étaient en faction, le lendemain, devant le garage qui la leur avait louée, puis ils suivaient Lognon à la piste, s'attendant probablement à trouver chez lui le mort ou le blessé.

Charlie et Cicero, qui ne parlaient pas un mot de français, ne pouvaient questionner la concierge ou Mme Lognon.

Ils envoyaient Larner.

Quelle tête avaient-ils faite en apprenant que l'homme de la rue Fléchier était bel et bien un inspecteur de police? Pourquoi les journaux ne parlaient-ils de rien?

Ils avaient évidemment un intérêt capital à retrouver leur victime, morte ou vive. En même temps, maintenant qu'ils savaient la police sur leur piste, il leur fallait disparaître de la circulation.

On aurait dit que, depuis lors, ils avaient prévu les moindres mouvements de Maigret et y avaient paré.

Les uns comme les autres quittaient leur hôtel, puis, sur un appel de Pozzo, abandonnaient leur refuge de la rue Brunel.

Les photographies des trois hommes paraissaient dans les journaux. Or, quelques heures plus tard,

la compagne de Sloppy Joe disparaissait de son hôtel. Et, quand Maigret en sortait, il était pris en
filature par Charlie Cinaglia qui, rue Grange-Batelière, n'hésitait pas à déclencher une bagarre
à la manière de Chicago.

— Vacher !

— Oui, patron...

— Veux-tu t'assurer que Baron n'est pas rentré chez lui ?

Cette histoire de Baron le chiffonnait de plus en
plus. L'inspecteur lui avait annoncé qu'il allait
rôder dans un certain nombre de bars fréquentés
par le monde des courses.

Maigret ne sous-estimait pas l'adversaire. Baron apprendrait peut-être quelque chose. Mais les
autres ne comprendraient-ils pas, par la même
occasion, qu'il était sur leurs traces ? N'allait-il
pas se passer ce qui s'était passé pour Lognon ?

— Toujours pas de réponse.

— Tu es sûr que tu as le bon numéro ?

— Je vais vérifier.

Vacher appela la surveillante, s'assura qu'il ne
s'était pas trompé.

— Quelle heure est-il ?

— Deux heures moins cinq.

Il venait de penser que le Manhattan était un
des bars où l'on s'occupait beaucoup des courses.
Peut-être était-il encore ouvert ? Sinon, il était
possible que Luigi fût encore occupé à faire sa
caisse.

En effet, il le trouva au bout du fil.

— Ici, Maigret.

— Ah !

— Il y a encore du monde chez vous ?

— J'ai fermé il y a dix minutes. Je suis seul dans l'établissement. J'allais partir.

— Dites-moi, Luigi, vous connaissez un inspecteur qu'on appelle le Baron?

— Celui des courses?

— Oui. Je voudrais savoir si vous ne l'avez pas vu ce soir?

— Je l'ai vu.

— A quelle heure?

— Attendez. Il y avait encore plein de monde au bar. Il devait être environ onze heures et demie. Oui. C'était juste après la sortie des théâtres.

— Il vous a parlé?

— Pas personnellement.

— Vous savez avec qui il s'est entretenu?

Il y eut un silence au bout du fil.

— Ecoutez, Luigi. Vous êtes un brave type, et il n'y a jamais rien eu contre vous.

— Alors?

— Un de mes inspecteurs vient de recevoir une balle dans le ventre.

— Il est mort?

— On l'opère en ce moment. Une femme a été enlevée de sa chambre d'hôtel.

— Vous savez qui c'est?

— La compagne de Sloppy Joe.

Nouveau silence.

— Baron n'est pas allé chez vous avec la seule intention de boire un verre.

— J'écoute.

— C'est Charlie qui a tiré sur mon inspecteur.

— Vous l'avez arrêté?

— Il a pu s'enfuir, mais il a reçu du plomb.

— Qu'est-ce que vous voulez savoir?

— Je n'ai pas de nouvelles du Baron et j'ai besoin de le retrouver.

— Comment voulez-vous que je sache où il est allé?

— Peut-être que, si vous me disiez à qui il a parlé ce soir, cela me fournirait une piste.

Encore un silence, plus long que précédemment.

— Ecoutez, commissaire, je crois que vous feriez mieux de venir bavarder un moment avec moi. Je ne suis pas sûr que cela en vaille la peine, car je ne sais pas grand-chose. Réflexion faite, il est préférable que nous ne nous rencontrions pas ici. On ne sait jamais.

— Vous passerez à mon bureau?

— Non plus. Merci bien! Attendez. Si vous voulez vous rendre à *La Coupole,* boulevard Montparnasse, en vous assurant que vous n'êtes pas suivi, je vous y retrouverai au bar.

— Dans combien de temps.

— Le temps de fermer et de m'y rendre. J'ai ma voiture à la porte.

Avant de partir, Maigret appela encore l'hôpital.

— Il y a des chances qu'on le sauve! lui annonça-t-on

Puis il eut Bonfils au bout du fil.

— Vous ne l'avez pas eu?

— Non. Il y a une demi-heure, on est venu nous signaler qu'une voiture a été volée rue de la Victoire. J'ai lancé son numéro.

Toujours la même tactique.

— Dites donc, Bonfils, vous avez examiné l'autre auto, celle qui a été abandonnée faubourg Montmartre?

— J'y ai pensé. Elle est allée à la campagne

aujourd'hui, car elle porte des trace de boue fraîche. J'ai téléphoné à son propriétaire, qui m'a affirmé qu'elle était propre ce matin.

Maigret prit, en bas, une voiture de la Préfecture, dont il dut réveiller le chauffeur.

— A *La Coupole*.

Luigi, arrivé avant lui, mangeait une paire de saucisses accompagnées d'un demi à un guéridon, près du bar. Il n'y avait presque personne dans la salle.

— Vous n'avez pas été suivi?

— Non.

— Asseyez-vous. Qu'est-ce que vous prenez?

— La même chose.

C'était la première fois que Maigret voyait Luigi en dehors de son établissement. Il était grave, soucieux. Il se mit à parler à voix basse, sans quitter la porte des yeux.

— Je n'aime pas du tout, mais là, pas du tout, me mêler de ces affaires-là. D'autre part, si je ne le fais pas, c'est vous que j'aurai à dos.

— Sans contredit, répliqua Maigret froidement.

— J'ai essayé, ce matin, de vous mettre en garde. Maintenant, on dirait qu'il est trop tard.

— La partie est engagée, oui, et elle se jouera jusqu'au bout. Qu'est-ce que vous savez?

— Rien de définitif. Il est néanmoins possible que cela vous mène quelque part. Un autre soir, je n'aurais sans doute pas fait attention au Baron. Si sa présence m'a frappé aujourd'hui, c'est que cela faisait le deuxième...

Il parut vouloir se mordre la langue, et Maigret lui souffla :

— ... le deuxième flic de la journée.

Il ajouta :

— Le baron avait bu?

— Il n'était pas à jeun.

C'était un des défauts de l'inspecteur, mais il était rare qu'il perdît son sang-froid.

— Il est resté assez longtemps tout seul dans son coin, en observant les clients, puis il est allé parler à un certain Loris, qui a été jadis entraîneur pour un des Rothschild. J'ignore de quoi ils se sont entretenus. Loris aime bien boire. C'est même ce qui lui a valu de perdre sa place. Ils étaient tout au bout du comptoir, contre le mur. Je les ai vus ensuite se diriger vers une des tables du fond, où Loris a présenté le Baron à Bob.

— Qui est Bob?

— Un jockey.

— Américain?

— Il a vécu longtemps à Los Angeles, mais je ne crois pas qu'il soit Américain.

— Il habite Paris?

— Maisons-Laffitte.

— C'est tout?

— Bob est allé donner un ou plusieurs coups de téléphone, et cela ne devait pas être en ville, car il m'a demandé un certain nombre de jetons.

— Comme pour téléphoner à Maisons-Laffitte?

— A peu près.

— Ils sont partis ensemble?

— Non. Je les ai perdus de vue pendant assez longtemps, car, comme je vous l'ai dit, c'était le coup de feu de la sortie des théâtres. Quand j'ai regardé à nouveau vers leur table, Bob et votre ami étaient seuls.

Maigret ne voyait pas du tout où cela les con-

duisait, et Luigi faisait signe qu'on leur serve
d'autres verres de bière.

— Il y avait un client, au bar, qui les observait, dit-il alors.

— Qui ?

— Un garçon qui, depuis quelques jours, vient
de temps en temps prendre un whisky. Au fait,
il était là, ce matin, quand vous vous trouviez au
comptoir.

— Un grand blond ?

— Il m'a dit de l'appeler Harry. Tout ce que
je sais, c'est qu'il est de Saint-Louis.

— Comme Charlie et Cicero, grommela Maigret.

— Justement.

— Il ne vous a pas parlé d'eux ?

— Il ne m'a pas posé de questions. Le premier
jour, il s'est arrêté un moment devant la photo
de Charlie en boxeur et il avait un drôle de
sourire.

— Il pouvait entendre ce que disaient Bob et
le Baron ?

— Non. Il se contentait de les observer.

— Il les a suivis quand ils sont sortis ?

— Nous n'en sommes pas encore là. Remarquez que je ne vous dis que ce que j'ai vu et que
je n'en tire aucune conclusion. C'est malheureusement déjà beaucoup trop et je préférerais savoir
Charlie mort que blessé. Bob est venu me demander si je n'avais pas vu Billy Fast.

— Qui est Billy Fast ?

— Une sorte de bookmaker qui habite quelque part à Maisons-Laffitte lui aussi. Il était en
bas. Je ne sais pas si vous êtes déjà descendu. En

dessous du bar, il existe une sorte de petit salon
où se réunissent les habitués.

— Je connais.

— Bob est d'abord descendu tout seul. Puis il
est venu chercher votre inspecteur, et je suis resté
longtemps sans les voir. Enfin, un bon quart
d'heure après minuit, le Baron a traversé la
grande salle en se dirigeant vers la porte.

— Seul?

— Seul. Il avait du vent dans les voiles.

— Très ivre?

— Pas très. Assez.

— Et votre client du bar, le grand blond de
Saint-Louis?

— Justement, il est sorti tout de suite après
lui.

Maigret crut que c'était tout et regarda son
verre d'un air lugubre. Ce qu'il venait d'apprendre
avait évidemment un sens, mais c'était bougrement difficile à le découvrir.

— Vous n'en savez vraiment pas davantage?

Luigi le regarda longuement en face avant de
répondre :

— Vous rendez-vous compte que c'est peut-être
ma peau que je joue?

Maigret comprit qu'il valait mieux se taire et
attendre.

— Il est bien entendu que je ne vous ai rien
dit, que je ne vous ai pas vu ce soir, qu'en aucun
cas, vous ne ferez appel à mon témoignage.

— Promis.

— Billy Fast n'habite pas exactement Maisons-
Laffitte, mais, le plus souvent, une auberge dans
la forêt. J'en ai parfois entendu parler. Autant
que je puisse deviner, c'est un endroit où cer-

taines gens vont de temps en temps se mettre au vert. Cela s'appelle *Au Bon Vivant*.

— C'est tenu par un Américain ?

— Par une Américaine, qui a fait partie jadis d'une troupe de girls et qui a des bontés pour Billy.

Comme Maigret tirait son portefeuille de sa poche, Luigi l'arrêta du geste, prononça avec une grimace en guise de sourire :

— Pardon ! C'est pour moi ! On prétendrait que je me fais rincer la gueule par la police Combien, garçon ?

Ils étaient aussi soucieux l'un que l'autre.

# 7

*Où Maigret attaque à son tour et où il risque de
s'attirer de sérieux désagréments.*

QUAND VACHER VIT
Maigret entrer dans le bureau, il sut tout de suite
qu'il y avait du nouveau, mais il comprit en même temps que ce n'était pas le moment de poser
des questions.

— Bonfils a téléphoné il y a quelques minutes,
dit-il. L'homme a passé à travers les barrages.
Une marchande des Halles prétend qu'elle l'a aperçu derrière une pile de paniers et qu'il l'a fait
taire en la menaçant de son revolver. Cela paraît
vrai, car on a trouvé des traces de sang sur un
des paniers. Rue Rambuteau, il a bousculé une
fille publique; selon elle, il tenait une épaule plus
haut que l'autre. Bonfils pense qu'au lieu d'essayer de sortir du quartier tout de suite il y est
resté un certain temps, changeant de place selon
les mouvements de la police. On continue à pa-
trouiller dans le secteur.

Maigret, sans paraître écouter, avait pris un
automatique dans son tiroir et était occupé à en
vérifier le chargeur.

— Tu ne sais pas si Torrence est armé?

— Probablement pas, à moins que vous ne le lui ayez spécialement recommandé.

Torrence prétendait volontiers que ses poings valaient toutes les armes.

— Passe-moi Lucas à l'appareil.

— Il n'y a pas deux heures que vous l'avez envoyé se coucher.

— Je m'en souviens.

Le regard du commissaire était lourd, et sa voix traînait, comme lasse.

— C'est toi, Lucas? Te demande pardon de te réveiller, vieux. J'ai pensé que tu ne serais pas content, si, par chance, nous en finissions cette nuit et que tu n'en sois pas.

— J'arrive, patron.

— Pas ici. Tu gagneras du temps en sautant dans une voiture et en te faisant conduire avenue de la Grande-Armée, au coin de la rue Brunel. Je dois passer y prendre Torrence. A propos, emporte ton pétard.

Après une hésitation, Lucas objecta:

— Mais Janvier?

Et, cela, ils étaient seulement quelques-uns à la P. J. à pouvoir le comprendre. Même avant que le patron parle de revolver, Lucas avait compris que c'était sérieux. Maigret lui téléphonait, à lui, passait relever Torrence de sa planque pour l'emmener aussi, et, automatiquement, Lucas pensait à Janvier, l'autre fidèle, comme s'il était anormal que l'expédition eût lieu sans lui.

— Janvier est chez lui. Ce serait trop long d'aller le chercher.

Il habitait en banlieue, dans la direction opposée à celle qu'ils allaient prendre.

— Je ne peux pas en être? questionna timide-
ment Vacher.

— Qui resterait de garde?

— Buchet est dans son bureau.

— On ne peut pas lui laisser toute la responsabilité sur le dos. Tu connais Maison-Laffitte toi?

— Je l'ai traversé souvent en voiture. Deux ou
trois fois, j'y ai assisté aux courses.

— Tu ne connais pas les environs, du côté de la
forêt?

— J'y suis allé aussi, dans le temps, avec les
gosses.

— Tu as entendu parler d'un endroit qui s'appelle *Au Bon Vivant?*

— Il existe des bistrots qui ont ce nom-là un
peu partout. Le plus simple serait de téléphoner
à la gendarmerie. Voulez-vous que je l'appelle?

— Surtout pas ça! Ni la police locale. Ni personne. Pas même une allusion à Maisons-Laffitte
devant qui que ce soit. Tu entends?

— Oui, patron.

— Bonsoir, Vacher.

— Bonsoir, patron.

Maigret avait hésité, avec un coup d'œil au placard où se trouvait la bouteille de fine. Ses poches
étaient alourdies par les deux automatiques. En
bas, il demanda au policier qui conduisait la voiture:

— Armé?

— Oui, monsieur le commissaire.

— Tu as des enfants?

— Je n'ai que vingt-trois ans.

— Cela n'empêche rien.

— Je ne suis pas marié.

C'était un agent de la nouvelle école, qui ressem-

blait davantage à un champion olympique qu'aux
sergents de ville bedonnants et moustachus qu'on
voyait jadis au coin des rues.

Un vent assez fort, très froid, s'était levé, qui
donnait un curieux caractère à cette nuit-là. Au
ciel, en effet, on voyait deux couches distinctes de
nuages. Ceux d'en bas, épais et sombres, qui couraient très vite avec le vent, rendaient le plus souvent l'obscurité complète. Mais parfois une déchirure se produisait, et on découvrait alors, comme
par une crevasse entre deux rochers, un paysage
lunaire où, très haut, des nuages moutonneux et
scintillants restaient immobiles.

— Ne roule pas trop vite.

Il fallait donner à Lucas, qui habitait la rive
gauche, le temps d'arriver avenue de la Grande-
Armée. Maigret avait hésité à accepter la proposi-
tion de Vacher. Un instant, il avait même pensé à
emmener Bonfils, qui en aurait été enchanté.

Il se rendait compte de la responsabilité qu'il
était en train de prendre et du mauvais cas dans
lequel il risquait de se mettre.

D'abord il n'avait aucun droit d'opérer du côté
de Maisons-Laffitte, qui était en dehors de son territoire. Selon les règlements, il aurait dû en référer
à la rue des Saussaies, qui aurait envoyé des
hommes de la Sûreté nationale, ou obtenir une commission rogatoire pour la gendarmerie de Seine-
et-Oise, ce qui aurait pris des heures.

Du seul point de vue de la prudence, étant donné ce qu'il savait de l'adversaire et ce qui venait
de se passer rue Richer, une opération en force paraissait indiquée. Or Maigret était persuadé que
ce serait justement le moyen d'avoir de la casse.

C'est pourquoi il avait choisi Torrence et Lucas.

Il y aurait ajouté Janvier si cela avait été possible
et peut-être, pour lui donner une occasion, le
petit Lapointe.

— Tourne dans la rue Brunel. Tu t'arrêteras
dès que tu apercevras Torrence.

Il était là, battant la semelle.

— Monte! Tu es armé?

— Non, patron. Vous savez, la poule n'est pas
dangereuse.

Maigret lui passa un des deux revolvers, pendant que la voiture venait se ranger au coin de
l'avenue.

— Vous avez un tuyau? On va les arrêter?

— Probablement.

— Si je m'étais laissé faire, vous ne m'auriez
pas trouvé.

— Pourquoi?

— Parce que je serais dans le lit de la demoi-
selle. Déjà, en partant pour le théâtre, elle m'a
accosté pour me dire:

» — Pourquoi ne montez-vous pas dans le même taxi que moi?

» Je n'ai vu aucune raison de ne pas le faire,
et elle a collé sa cuisse contre la mienne.

» — Vous ne venez pas voir le spectacle?

» J'ai préféré monter la garde devant sa loge.
Je l'ai seulement regardée de la coulisse pendant
son numéro. Nous sommes revenus tous les deux.

— Elle n'a parlé de rien?

— Seulement de Bill Larner. Elle n'a vraiment
pas l'air de connaître les deux autres et m'a juré
qu'elle en avait peur. Elle a emmené une copine
rue Royale pour manger un morceau avec elle. Elle
m'a invitée aussi, mais j'ai refusé. Puis nous sommes venus seuls jusqu'ici et, comme des amou-

reux, nous sommes restés un bon moment sur
le seuil.

» — Vous ne croyez pas que vous me surveil-
leriez plus étroitement si vous montiez là-haut? »
m'a-t-elle demandé.

» J'ai compris. Qu'auriez vous fait à ma place?
Remarquez que cela ne m'aurait pas déplu... »

Maigret soupçonna Torrence de faire exprès de
parler, parce qu'il le voyait trop tendu. Un taxi
s'arrêta juste derrière la voiture de police, une
portière claqua, Lucas s'avança, sautillant, guil-
leret.

— On y va? questionna-t-il.

— Tu n'as pas oublié ton arme?

Et, au chauffeur:

— A Maisons-Laffitte.

On traversa Neuilly, puis Courbevoie. Il était
trois heures et demie du matin et il y avait toujours des camions qui se dirigeaient vers les Halles,
des poids lourds, des services rapides, très peu
de voitures particulières.

— Vous savez où ils nichent, patron?

— Peut-être. Ce n'est pas sûr. Le Baron ne
m'a pas téléphoné comme il me l'avait promis. Je
crains qu'il n'ait eu la même idée que Lognon,
qu'il ne se soit mis en tête de travailler seul.

— Il a bu?

— Il paraît que oui.

— Il avait sa voiture?

Maigret fronça les sourcils.

— Il a une voiture?

— Depuis une dizaine de jours, un cabriolet
qu'il a acheté d'occasion et qu'il trimbale partout.

N'était-ce pas l'explication du silence de l'inspecteur? Quand il avait quitté le bar de Luigi,

excité par tout ce qu'il avait bu, et qu'il avait
trouvé sa voiture à la porte, n'avait-il pas eu envie
de faire un tour jusqu'à Maisons-Laffitte afin
de s'assurer que la piste était bonne?

Ce fut Lucas qui demanda:

— Vous avez téléphoné à la gendarmerie?

Maigret fit signe que non.

— La rue des Saussaies est au courant?

— Non plus.

Ils se comprenaient, et, pendant un bout de
temps, il y eut un silence assez impressionnant.

— Ils sont toujours trois?

— A moins qu'ils ne se soient séparés, ce que
je ne pense pas. Charlie est blessé. Autant qu'on
en puisse juger, il a reçu une balle à l'épaule.

Maigret lui raconta en quelques mots l'affaire
de la rue Richer, et ils l'écoutaient en hommes qui
apprécient.

— Il a l'air de s'être rendu seul à Paris. Vous
croyez qu'il allait chercher la femme?

— Cela donne cette impression. On dirait qu'il
est arrivé trop tard.

— S'il comptait faire l'opération sans ses camarades, c'est qu'il ne la croyait pas difficile.

Au fond, ils étaient aussi soucieux l'un que
l'autre, parce qu'ils ne se sentaient pas sur leur
terrain habituel. D'habitude, dans une affaire, ils
pouvaient prévoir presque à coup sûr les réactions
de l'adversaire. Ils connaissaient à peu près toutes
les sortes de criminels.

Ceux-ci employaient des méthodes qui les dérou-
taient. Ils agissaient plus vite. C'était même cette
rapidité de décision qui paraissait être leur prin-
cipale caractéristique. En même temps, ils n'hési-
taient pas à se découvrir, comme si le fait que la

police connaissait leur identité aussi bien que leurs faits et gestes avait peu d'importance à leurs yeux.

— On tire? demanda Torrence.

— Si c'est indispensable. Je n'aimerais pas me trouver avec un mort sur les bras.

— Vous avez une idée de la façon dont nous allons nous y prendre?

— Aucune.

Il savait seulement qu'il en avait assez et qu'il voulait en finir d'une façon ou d'une autre. Ces gens-là, venus de l'autre côté de l'Atlantique, avaient descendu un homme en plein Paris, puis avaient rossé Lognon, tiré à bout portant sur un agent, sans compter la femme qu'ils avaient enlevée en face des Folies-Bergère.

En dépit des photographies publiées par les journaux, en dépit de leur signalement lancé à toutes les polices, ils évoluaient comme chez eux dans une ville qu'ils connaissaient à peine, piquant une voiture au hasard quand ils en avaient besoin aussi simplement qu'ils auraient hélé un taxi.

— Qu'est-ce que je fais? questionna le chauffeur, alors qu'ils franchissaient le pont et découvraient les lumières de Maisons-Laffitte.

Ils apercevaient le château, la tache blême du champ de courses sous la lune. Les rues étaient désertes, avec seulement une fenêtre éclairée par-ci par-là. Il fallait dénicher le *Bon Vivant*, et le plus simple était évidemment de s'adresser au poste de police dont ils dépassaient la lanterne.

— Continue. Il y a un passage à niveau un peu plus loin.

Par chance, la bicoque du garde-barrière était éclairée. Il devait y avoir un train vers cette heure-là. Maigret descendit de voiture, entra, trou-

va un homme à grosses moustaches en tête à
tête avec un litre de vin.

— Vous connaissez une auberge qui s'appelle
*Au Bon Vivant?*

Ce furent des explications à n'en plus finir.
Maigret dut appeler le chauffeur, car il ne s'y
retrouvait pas dans les carrefours qu'on lui désignait, ni dans les tournants à droite et à gauche.

— Vous franchissez le second passage à niveau
et vous vous dirigez vers l'Etoile des Tetrons.
Vous voyez ça? Surtout, ne prenez pas la route
du château de la Muette, mais celle qui est tout de
suite avant...

Le chauffeur avait l'air de comprendre. Malgré
cela, dix minutes plus tard, ils étaient perdus dans
la forêt, obligés de descendre à chaque croisement
pour déchiffrer le nom des chemins sur les po-
teaux.

Les nuages du bas s'étaient à nouveau ressou-
dés et ils devaient se servir d'une torche électrique.

— Il y a une voiture en stationnement devant
nous, tous feux éteints.

— Il vaut mieux que nous allions voir.

Elle était arrêtée au milieu de la route, en pleine
forêt. Ils se mirent en marche tous les quatre, et
Maigret leur recommanda d'avoir leur arme à
la main. C'était un chemin secondaire où leurs pas
faisaient bruisser les feuilles mortes.

C'était peut-être ridicule de prendre autant de
précautions, mais le commissaire ne voulait pas
risquer la vie de ses hommes, et ils mirent près
de dix minutes à s'approcher de l'auto abandonnée.

Elle était vide. La plaque, à l'intérieur, portait
le nom d'un industriel et une adresse de la rue de

Rivoli. La torche électrique, braquée sur le siège du chauffeur, laissa voir des taches de sang encore fraîches.

A nouveau une voiture volée !

— Vous comprenez pourquoi il l'a abandonnée ici ? On n'aperçoit pas de maison. Si nous sommes à l'endroit que je crois et si le garde-barrière ne s'est pas trompé, le *Bon Vivant* est au moins à un demi-kilomètre.

— Tu veux jauger l'essence, Lucas ?

C'était l'explication, toute simple, toute bête. Charlie avait pris la première voiture venue et s'était trouvé tout à coup sans une goutte d'essence. L'intérieur de l'auto sentait encore la cigarette.

— Allons-y ! Il s'agit qu'ils ne nous entendent pas approcher.

— Vous croyez que le Baron est passé par ici ?

A certains endroits, la route était boueuse, mais il y avait trop de feuilles mortes pour qu'on pût y distinguer des traces de pas ou de pneus. Au surplus, maintenant, il fallait éviter de se servir des torches électriques.

Ils atteignirent enfin un tournant, au-delà duquel une clairière s'étendait sur la gauche, et, dans cette clairière, ils virent la faible lueur de deux fenêtres tamisée par des rideaux. Maigret chuchota ses instructions :

— Toi, dit-il au chauffeur, tu resteras ici et tu ne t'avanceras que s'il y a de la bagarre. Toi, Torrence, tu vas passer derrière la maison, pour le cas où ils essayeraient de sortir par là.

— Je tire dans les jambes ?

— De préférence. Lucas viendra avec moi jus-

qu'à proximité de la bicoque, mais restera un peu
à l'écart pour surveiller les fenêtres.

Ils étaient impressionnés les uns comme les
autres et pourtant, tous les trois, ils avaient procédé à des arrestations plus difficiles. Maigret
pensait en particulier à un Polonais qui avait ter-
rorisé les fermes du Nord pendant des mois et
qui avait fini par se planquer dans un petit
hôtel de Paris. Il était armé jusqu'aux dents. C'é-
tait un tueur, lui aussi. Un homme qui, se sentant traqué, était capable de tirer sur la foule,
de faire une véritable hécatombe pour finir en
beauté.

Qu'est-ce que ceux-ci avaient de tellement ex-
traordinaire? On aurait dit que Pozzo et Luigi
avaient fini par donner à Maigret Dieu sait quel
complexe.

— Bonne chance, les enfants !

— Merde ! grogna Torrence en touchant du
bois.

Et Lucas, qui prétendait ne pas être supersti-
tieux, répéta tout bas, comme à regret:

— Merde !

Autant qu'ils en pouvaient juger, le *Bon Vivant*
était une ancienne maison de garde chasse qui
devait comporter tout au plus trois pièces au rez-
de-chaussée et autant au premier étage, avec un
toit pointu, couvert d'ardoises, qu'on devinait à
la faveur d'un rayon de lune.

Maigret et Lucas s'approchaient sans bruit des
lumières du rez-de-chaussée et, quand ils n'en furent qu'à une vingtaine de mètres, le commissaire toucha le bras de son inspecteur pour lui
indiquer de tourner à gauche.

Lui-même attendit quelques minutes sans bou-

ger, de façon à être sûr que chacun avait atteint
sa place. Par bonheur, le vent, plus fort qu'à Paris,
secouait les branches et faisait bruire les feuilles
sur le sol. Pendant deux minutes environ, il y eut
du danger pour tous, car une déchirure des nuages
permit à la lune d'éclairer le paysage si nettement
que Maigret voyait les boutons du pardessus de
Torrence, le revolver de Lucas, qui était pourtant
plus loin de lui que la maison.

Il profita de la première minute où les nuages
à nouveau bloquèrent la lune pour franchir l'es-
pace qui le séparait d'une des fenêtres éclairées.
Celle-ci était garnie de rideaux à carreaux rouges,
comme chez Pozzo, mais, entre les rideaux mal
tirés, une fente permettait de voir à l'intérieur.

C'était la salle commune, avec un comptoir de
zinc et une demi-douzaine de tables en bois ciré.
Sur les murs blanchis à la chaux s'étalaient des
chromos. Il n'y avait pas de chaises dans la pièce,
seulement des bancs rustiques, et, sur un de ces
bancs, Charlie Cinaglia était assis, présentant son
profil au commissaire.

Sa poitrine était nue, assez grasse, et des poils
très noirs tranchaient sur la peau blanche. Une
grosse femme, aux cheveux oxygénés, venait de
la cuisine avec une casserole d'où montait de la
vapeur. Ses lèvres s'agitaient, elle parlait sans que
le son de sa voix parvînt jusqu'au dehors.

Tony Cicero était là aussi, sans veston. Sur
la table, à côté d'une bouteille qui devait contenir
de l'alcool pur ou quelque désinfectant, se trouvaient deux automatiques.

En regardant le sol, Maigret découvrit une
cuvette remplie d'eau rosâtre où baignaient des
morceaux d'ouate.

Charlie saignait toujours, et cela paraissait l'inquiéter. La balle l'avait atteint à l'extrémité de l'épaule gauche et, sans y pénétrer, autant que le commissaire pouvait en juger, avait emporté un morceau de chair.

Aucun des trois personnages ne semblait penser à la possibilité d'une surprise. La femme versait de l'eau chaude dans une soucoupe, y ajoutait un peu du contenu de la bouteille, trempait un morceau de coton qu'elle posait sur la plaie, tandis que Charlie serrait les dents.

Tony Cicero, un cigare au bec, saisissait un flacon de whisky sur une des tables et le tendait à son camarade qui buvait à même le goulot.

Bill Larner n'était pas en vue. Cicero ne s'était pas encore présenté de face au regard de Maigret, et, quand cela arriva, le commissaire fut surpris de constater que l'autre avait un oeil tuméfié.

La suite fut si rapide que personne, en réalité, ne se rendit compte de ce qui se passait exactement.

En rendant la bouteille à Cicero, Charlie avait tourné les yeux dans la direction de la fenêtre. Maigret n'était sans doute pas aussi invisible de l'intérieur qu'il le pensait, car, sans qu'un trait du visage de Charlie laissât supposer qu'il était en alerte, il avait tendu son bras valide, et sa main avait atteint un des deux revolvers.

Au même moment, Maigret pressait la détente du sien et, tout comme dans un film d'Hollywood, l'arme de Charlie tomba sur le plancher, tandis que sa main pendait, désarticulée.

Avec la même rapidité, Cicero, sans se retourner, avait renversé la table qui, maintenant, le protégeait ; la femme, elle, faisant deux ou trois

pas, se collait contre le mur, près de la fenêtre,
là où elle était hors d'atteinte.

Maigret se baissa à temps, car une balle fit éclater une des vitres, suivie d'une autre qui emporta
un morceau de la boiserie.

Il entendait des pas à sa gauche, ceux de Lucas
qui accourait.

— Vous ne l'avez pas eu?

— J'en ai eu un. Attention!

Cicero tirait toujours. Lucas, en rampant, se
dirigeait vers la porte.

— Qu'est-ce que je fais? cria le chauffeur
qu'on avait laissé en arrière.

— Tu restes où tu es.

Maigret se souleva pour essayer de voir à l'intérieur, et une balle traversa son chapeau.

Il se demandait où était Bill Larner et si celui-
ci entrerait dans la danse. C'était d'autant plus
dangereux qu'on n'avait aucune idée de l'endroit
où il se trouvait, qu'il avait donc la possibilité de
les prendre de flanc, de tirer d'une des fenêtres
de l'étage, par exemple, ou de les surprendre par
derrière.

D'un coup de pied, Lucas ouvrait la porte.

Au même instant, une voix, à l'intérieur, poussait une sorte de cri de guerre. C'était Torrence
qui hurlait:

— Allez-y, patron!

La femme criait aussi. Lucas fonçait. Maigret
se redressait, apercevait, de l'autre côté de la
table renversée, deux hommes qui luttaient sur
le plancher, tandis que la patronne saisissait un
chenet dans la cheminée.

Lucas arriva sur elle à temps pour l'empêcher
de frapper, et c'était drôle de le voir, tout petit,

maintenant les poignets de l'Américaine qui avait une tête de plus que lui.

L'instant d'après, Maigret était dans la pièce à son tour. Par terre, Charlie tentait d'atteindre un des revolvers qui n'était qu'à une vingtaine de centimètres de sa main, et le commissaire fit un geste qu'il n'avait jamais eu de toute sa carrière. Pour une fois, il donna un cours furieux à sa rage, écrasant la main du tueur d'un coup de talon.

— Sale brute ! lui cracha la femme, que Lucas maintenait toujours.

Torrence, lui, pesait de tout son poids sur Cicero, qui essayait de lui enfoncer les doigts dans les yeux, et Maigret dut s'y prendre à plusieurs fois pour emprisonner ses poignets dans une paire de menottes.

Quand Torrence se redressa, il rayonnait. La poussière du plancher s'était collée à la sueur de son visage, et Cicero lui avait déchiré le col de sa chemise, égratigné assez vilainement la joue.

— Vous ne voulez pas lui passer les menottes aussi, patron ?

Lucas, à bout de force, réclamait de l'aide, et ce furent les menottes de Torrence que Maigret passa à la tenancière du *Bon Vivant*.

— Vous n'avez pas honte de vous en prendre à une femme ?

Le chauffeur s'encadrait dans la porte.

— On n'a pas besoin de moi ?

Et Torrence, soulevant par les épaules Charlie qui grimaçait de douleur :

— Qu'est-ce que j'en fais, patron ?

— Assieds-le dans un coin.

— Quand j'ai entendu les coups de feu, j'ai

décidé d'entrer par derrière. La porte était fermée.
J'ai cassé un carreau et me suis trouvé dans la
cuisine.

Maigret bourrait une pipe lentement, méticu-
leusement, en reprenant son souffle. Puis il se
dirigea vers une armoire vitrée qui contenait des
verres.

— Qui est-ce qui veut du whisky?

Il restait soucieux, cependant, envoyait le chauffeur dehors pour s'assurer que personne ne tentait
de s'échapper de la maison.

A Lucas, il dit:

— Tu veux aller faire le tour et voir s'il n'y a
pas d'autre voiture?

Il jeta un coup d'oeil dans la cuisine où, sur une
table, traînaient les restes d'un souper froid,
poussa une porte, celle d'une pièce plus petite
qui devait servir de salle à manger.

Il s'engagea dans l'escalier, son revolver encore
chaud à la main, s'arrêta sur le palier pour écouter
et, du pied, ouvrit une autre porte.

— Quelqu'un, là-dedans?

Il n'y avait personne. C'était la chambre de la
patronne, aux murs garnis de portraits d'hommes
et de femmes comme le restaurant de Pozzo. Il
y avait au moins une centaine de photographies,
un bon nombre dédicacées au nom d'Helen, et certaines photos la représentaient elle-même, quand
elle avait une vingtaine d'années de moins, en
tenue de girl.

Avant de les examiner, Maigret s'assura qu'il
n'y avait personne dans les deux autres chambres.
Aucun lit n'était défait. Une des pièces contenait
des valises, dans lesquelles le commissaire trouva

du linge de soie, des objets de toilette, des chaussures, mais pas le moindre document.

C'était évidemment les valises que Charlie et
Cicero avaient emportées au cours de leurs migra-
tions successives. Tout au fond de la plus lourde,
il y avait encore deux automatiques, un silencieux,
un casse-tête et une matraque en caoutchouc, sans
compter une respectable quantité de munitions.

De la compagne de Sloppy Joe, aucune trace.
Par contre, en passant à nouveau par la cuisine,
il saisit près de la cafetière un étui à cigarettes
marqué des initiales B. L., qui semblait indiquer
que Larner avait passé par là.

Lucas rentrait de son inspection, les pieds
boueux.

— Aucune auto dans les environs, patron.

Quant à Torrence, il avait examiné la main du
blessé, que la balle avait traversée. Chose curieuse,
la blessure ne saignait pas, car un caillot s'était
formé à chaque ouverture, mais les doigts gon-
flaient presque à vue d'oeil, devenaient bleuâtres.

— Il y a le téléphone dans la maison?

L'appareil se trouvait derrière la porte.

— Appelle un médecin de Maisons-Laffitte,
n'importe lequel, sans dire qu'il s'agit de la police.
Le mieux est de lui raconter qu'il y a eu un accident.

Lucas fit signe qu'il s'en chargeait et, pour la
première fois, non sans une hésitation, ni sans
une certaine gêne, Maigret se servit de son mauvais anglais en présence de ses hommes.

C'est à Cicero, assis sur un banc, le dos au mur,
qu'il s'adressa.

— Où est Bill Larner?

Comme il s'y attendait, il n'obtint aucune réponse, seulement un sourire méprisant.

— Bill était ici ce soir. C'est lui qui t'a fait un oeil au beurre noir?

Le sourire disparut, mais les dents de Cicero ne se desserrèrent pas.

— Comme tu voudras. Il paraît que tu es coriace; mais nous en avons d'aussi coriaces sur ce continent-ci.

— Je désire téléphoner à mon consul, prononça enfin Cicero.

— Simplement! A cette heure-ci! Et pour lui dire quoi, s'il te plaît?

— Comme vous voudrez. Vous prenez vos responsabilités.

— En effet, je les prends. Tu as eu le docteur, Lucas?

— Il sera ici dans un quart d'heure.

— Tu n'as pas l'impression qu'il va téléphoner à la police de Maisons?

— Je ne pense pas. Il n'a pas bronché.

— Je ne serais pas étonné qu'il se donne parfois dans cet endroit des noubas carabinées. Tu veux appeler la P. J. pour savoir s'ils ont des nouvelles du Baron?

Cela le tracassait toujours, et aussi la disparition de la femme de l'*Hôtel de Bretagne*.

— Tant que tu y es, demande à Vacher de nous envoyer une seconde voiture. Tout le monde ne tiendra pas dans la nôtre.

Puis, faisant face à Charlie:

— Rien à me dire?

Pour toute réponse, il reçut une des injures les plus crues de la langue anglaise faisant allusion à la façon dont sa mère l'avait conçu.

— Qu'est-ce qu'il dit? questionna Torrence.

— Il fait une discrète allusion à mes origines.

— Vacher n'a pas de nouvelles de Baron, patron. Il vient encore d'appeler son numéro il y a un quart d'heure. Il paraît que Bonfils a téléphoné pour signaler qu'une voiture a été volée...

— Rue de Rivoli?

— Oui.

— Tu lui as dit que nous l'avions retrouvée?

Une auto s'arrêtait devant la porte, et un homme encore jeune poussait le battant, une trousse noire à la main, avait un mouvement de recul en apercevant le désordre de la pièce, les revolvers posés sur une des tables et enfin les menottes.

— Entrez, docteur. Ne faites pas attention. Nous sommes de la police et nous avons eu une explication avec ces messieurs et cette dame.

— Docteur, commença celle-ci, prévenez la police de Maisons-Laffitte, qui me connaît, que ces brutes...

Maigret dit qui il était, désigna Charlie qui, dans son coin, était près de tourner de l'œil.

— Je voudrais que vous l'arrangiez un peu, afin qu'il puisse nous suivre à Paris. Il a été abîmé une première fois à Paris et puis une seconde fois ici au cours de la discussion.

Pendant qu'on soignait Charlie, Maigret fit à nouveau le tour de la maison, s'intéressa en particulier aux photographies dans la chambre de la propriétaire, puis alla vider une des valises, y fourra toutes les photos qu'il décrochait, les papiers qu'il trouva dans un tiroir, des lettres, des factures, des coupures de journaux. Il y mit enfin l'étui à cigarettes, enveloppa avec précaution les verres et les tasses qui avaient servi.

Quand il rentra dans la salle commune, Charlie avait l'air groggy, et le médecin expliqua:

— J'ai cru préférable de lui administrer une drogue qui le tiendra tranquille.

— Grave?

— Il a perdu beaucoup de sang. Peut-être à l'hôpital décideront-ils d'opérer une transfusion. Il est coriace.

Cinaglia ne les regardait plus que d'un oeil hébété.

— Rien d'autre à soigner?

— Vous prendrez bien un verre avec nous.

Maigret savait ce qu'il faisait.

Par crainte de voir alertées la police de Maisons-Laffitte ou la gendarmerie, il voulait éviter que le docteur partît avant l'arrivée de la voiture qu'il avait demandée à Vacher.

— Asseyez-vous, docteur. Vous avez déjà eu l'occasion de venir ici?

— Quelquefois, n'est-ce pas, Helen?

Il paraissait la connaître fort bien.

— Mais les circonstances n'étaient pas les mêmes. Une fois, c'était un jockey qui s'était cassé la jambe et qui a passé un mois au premier étage à se soigner. Une autre fois, j'ai été appelé au milieu de la nuit pour donner mes soins à un gentleman qui avait trop bu et dont le coeur était en train de flancher. Je crois me souvenir aussi d'une fille qui avait reçu un coup de bouteille sur la tête, par hasard, m'a-t-on dit, une nuit que les gens étaient assez excités.

L'auto arriva enfin. Il fallut y transporter Charlie, dont les jambes flageolaient. Cicero marcha, dédaigneux, les mains sur le ventre, et s'installa sans un mot sur la banquette.

— Tu montes avec eux, Torrence?

C'était donner à celui-ci une petite satisfaction bien méritée, puisqu'il avait fait le plus gros travail.

— Dommage qu'il ne fasse pas encore jour et que le restaurant de Pozzo ne soit pas ouvert.

Peut-être, s'il avait été neuf heures du matin au lieu de quatre heures et demie, Maigret n'aurait-il pas résisté au désir de passer par la rue des Acacias et d'inviter Pozzo à jeter un coup d'oeil dans la voiture.

— Déposez en passant Charlie à l'hôpital Beaujon. Cela fera plaisir à Lognon de savoir qu'il est sous le même toit que lui. Emmenez l'autre au Quai.

Puis, à la femme qui, selon ses papiers, s'appelait Helen Donahue:

— En route!

Elle le regarda dans les yeux et resta immobile.

— J'ai dit: en route!

— Vous ne me ferez quand même pas bouger. Je suis chez moi. Vous n'avez aucun mandat. Je demande, moi aussi, à être mise en rapport avec mon consul.

— C'est cela. Nous en reparlerons tout à l'heure. Vous ne voulez pas nous suivre?

— Non.

— Tu y est, Lucas?

Tous les deux attrapèrent la femme, chacun par un côté, et la soulevèrent. Le docteur, qui ne pouvait s'empêcher de rire de la scène, leur tenait la porte ouverte. Helen se débattait tellement que Lucas lâcha prise et qu'elle s'étala sur le sol. Il fallut appeler le chauffeur à la rescousse.

Enfin, on la poussa tant bien que mal dans l'auto, où Lucas prit place à côté d'elle.

— Au Quai! commanda le commissaire.

Cent mètres plus loin, il se ravisa.

— Très fatigué, Lucas?

— Pas trop. Pourquoi?

— Cela m'ennuie de laisser la bicoque sans personne.

— Compris. Je descends.

Maigret alla prendre place à l'arrière de la voiture et, allumant sa pipe, dit gentiment à sa compagne:

— Je suppose que la fumée ne vous gêne pas?

Pour toute réponse, il reçut la même injure dont il avait donné tout à l'heure une traduction extrêmement vague.

# 8

*Où certain inspecteur s'efforce de se souvenir de
ce qu'il a découvert.*

Bien calé dans son
coin, le col du pardessus relevé, les yeux picotants
de rhume de cerveau et de sommeil, Maigret regardait droit devant lui, sans prêter la moindre attention à sa compagne, et on ne roulait pas depuis cinq minutes que c'était Helen qui se mettait
à parler, par petits coups, comme pour elle-même.

— Je connais certains policiers qui se croient
malins et qui vont recevoir une bonne leçon...

Un long silence. Probablement attendait-elle une
réaction, mais le commissaire n'était qu'un bloc
inerte.

— Je dirai au consul que ces gens-là se sont
conduits comme des sauvages. Il me connaît. Tout
le monde connaît Helen. Je raconterai qu'ils m'ont
frappée et qu'un des inspecteurs m'a même tri-
potée.

Elle avait dû être belle. A cinquante ou cin-
quante-cinq ans, elle gardait une certaine allure.
Etait-elle ivre ou à moitié ivre quand Maigret avait

fait irruption dans sa maison? C'était possible.
C'était difficile à dire. Elle avait la voix rauque
des femmes qui boivent et qui veillent quotidien-
nement, leur regard plutôt flou.

C'était curieux de la voir conserver pendant plusieurs minutes un silence renfrogné, puis de l'entendre grommeler une phrase, presque toujours
une seule, qui paraissait ne s'adresser à personne.

— Je dirai aussi qu'on a frappé un homme à
terre...

Peut-être ne faisait-elle que déverser petit à
petit son trop-plein de rage, mais peut-être aussi
essayait-elle de mettre Maigret hors de ses gonds.

— Il y a des gens qui se croient supérieurs
parce qu'ils sont capables de passer les menottes
à une femme qui n'a rien fait.

C'était parfois si drôle que le chauffeur avait
peine à ne pas sourire. Quant à Maigret, il tirait
sur sa pipe à petites bouffées en s'efforçant de
garder son sérieux.

— Je parie qu'ils ne me donneront même pas
une cigarette...

Il ne broncha pas, l'acculant à une attaque di-
recte.

— Est-ce que vous avez une cigarette, oui?

— Pardon. J'ignorais que c'était à moi que
vous parliez. Je n'en ai pas sur moi, car je
ne fume que la pipe. Dès que nous arriverons, je
vous en donnerai.

Le silence, cette fois, dura jusqu'au pont de
la Jatte.

— Ils s'imaginent qu'il n'y a que les Français d'intelligents au monde. N'empêche que, si
Larner ne les avait pas renseignés...

Cette fois, Maigret la regarda dans la faible

lueur que le tableau de bord répandait autour d'eux, mais il ne put rien lire sur son visage, de sorte que pendant un certain temps il se demanda si elle l'avait fait exprès ou non.

Car, en somme, elle venait, d'une petite phrase, de lui fournir un renseignement important. Il s'en était douté. Dès le début, il avait eu l'impression qu'un Bill Larner n'avait pas travaillé de son plein gré avec des gens comme Charlie et Cicero. Son rôle, d'ailleurs, semblait s'être borné à leur procurer une voiture, puis à fouiller les papiers de Lognon place Constantin-Pecqueur, à les conduire enfin chez une de ses amies rue Brunel, puis probablement au *Bon Vivant*.

Quand Lognon avait été emmené dans la forêt, Bill avait servi de traducteur, mais n'avait pas frappé.

Cette nuit, il avait dû profiter de ce que Charlie était retourné à Paris et de ce qu'il n'avait que Cicero en face de lui pour reprendre la liberté dont il avait envie depuis longtemps, surtout depuis que l'affaire était devenue trop chaude pour lui.

Avait-il annoncé à Cicero son intention de partir? L'autre l'avait-il surpris au moment où il s'en allait et avait-il tenté de l'en empêcher? Bill Larner, en tout cas, avait frappé. Au visage.

— Vous avez une auto? demanda Maigret à la femme.

Maintenant qu'il la questionnait, Helen se taisait, reprenait son expression méprisante.

Il ne se souvenait pas d'avoir vu un garage près de l'auberge. Charlie était reparti pour Paris avec la voiture qui leur avait servi à gagner Maisons-Laffitte. Larner avait dû s'éloigner à

pied dans la forêt, en direction de la grand'route
ou de la gare. Il avait maintenant deux heures
d'avance au moins, et il y avait peu de chances
qu'on le rattrapât avant qu'il franchît la frontière.

Comme, à la Porte Maillot, on passait devant
un bistrot déjà ouvert, Helen dit, toujours sans
s'adresser à quelqu'un en particulier:

— J'ai soif.

— Il y a du cognac dans mon bureau. Nous y
serons dans dix minutes.

La voiture roulait vite dans les rues désertes.
Quelques matineux commençaient à circuler sur
les trottoirs. Quand on s'arrêta au Quai des Orfèvres, dans la cour du Palais de Justice, Helen,
avant de bouger de son siège, questionna:

— C'est vrai que j'aurai du cognac?

— Promis.

Maigret poussa un soupir de soulagement, car
il s'était demandé un instant s'il allait falloir la
porter à nouveau comme dans la forêt.

— Reste ici, dit-il à son chauffeur.

Et, comme il voulait aider sa compagne à monter l'escalier:

— Ne me touchez pas, lança-t-elle. Je le dirai
aussi que vous avez essayé de coucher avec moi.

Peut-être ne faisait-elle que jouer un rôle? Peut-
être jouait-elle toujours un rôle pour s'aider à
supporter la vie?

— Par ici...

— Le cognac?

— Oui...

Il poussa la porte du bureau des inspecteurs,
où Torrence et son prisonnier n'étaient pas encore
arrivés, car ils avaient dû s'arrêter en passant à

Beaujon pour y déposer le blessé. Vacher était là, au téléphone, et regarda curieusement l'Américaine.

— Vous dites que le récepteur est décroché? Vous êtes sûre? Je vous remercie.

— Un instant, intervint Maigret, comme Vacher ouvrait la bouche. Surveille-la, veux-tu?

Il passa dans son bureau, y prit la bouteille de cognac et des verres, en tendit un à Helen, qui le vida d'un trait et qui lui désigna à nouveau la bouteille.

— Pas trop à la fois. Tout à l'heure. Tu as des cigarettes, Vacher?

Il en glissa une entre les lèvres de la femme, lui tendit la flamme d'une allumette, et elle, lui soufflant la fumée au visage, articula:

— Je vous déteste quand même!

— Tu n'as personne pour la garder? Il est préférable qu'on ne parle pas trop devant elle.

— Pourquoi ne pas la mettre dans le cagibi?

C'était au-dessus de l'escalier, une cellule étroite où il n'y avait qu'un bat-flanc et une paillasse. Il y faisait noir. Maigret hésita, préféra installer la prisonnière dans un bureau vide, dont il referma la porte à clef.

— Le cognac? lui rappela-t-elle à travers la porte.

— Tout à l'heure!

Il rejoignait Vacher.

— Quel est ce téléphone qui est décroché?

— Celui de Baron. J'ai appelé son numéro à peu près toutes les demi-heures. Jusqu'à il y a une heure, cela sonnait, mais personne ne répondit. Depuis une heure, on entend le vrombissement qui annonce *pas libre*. J'ai fini par m'in-

quiéter et par m'adresser à la surveillante. Elle
affirme que le récepteur est décroché.

— Tu sais où il habite?

— Rue des Batignolles. Le numéro est inscrit
sur mon bloc. Vous y allez?

— C'est préférable. Pendant ce temps-là, tu don-
neras l'alarme au sujet de Bill Larner. Il a quitté
les environs de Maisons-Laffitte voilà maintenant
trois heures environ. Je pense qu'il faut surtout
surveiller la frontière belge. Torrence va arriver
avec Tony Cicero.

— Et l'autre?

— A Beaujon.

— Vous l'avez amoché?

— Pas trop.

— Qu'est-ce qu'ils disent?

— Rien.

Ils se regardèrent, tendant l'oreille, et Maigret
se dirigea vers le bureau où il avait enfermé Helen.
En dépit de ses menottes, celle-ci était en train
de faire un carnage, envoyant les encriers, la lampe de bureau, les papiers, tout ce qui était à sa
portée rouler sur le plancher.

Quand elle vit le commissaire, elle se contenta
de sourire en déclarant :

— Je me suis conduite à peu près comme vous
vous êtes conduit chez moi.

— Le cagibi? questionna Vacher.

— C'est elle qui l'aura voulu.

-:-

Sur le Pont-Neuf, sa voiture croisa celle qui
amenait Torrence et Cicero, et les chauffeurs
échangèrent un signe. Dès qu'il arriva rue des Ba-

tignolles, Maigret aperçut un cabriolet arrêté, deux roues sur le trottoir, et, quand il regarda à l'intérieur, il lut le nom du Baron sur une petite plaque surmontée d'un saint Christophe.

Il sonna. La concierge, qui dormait toujours, tira le cordon, et il dut lui parler à travers une porte vitrée pour savoir à quel étage logeait l'inspecteur.

— Il est entré seul? questionna-t-il.

— Qu'est-ce que cela peut vous faire?

— Je suis un de ses collègues.

— Il vous dira lui-même ce qu'il a fait.

C'était un de ces immeubles où il y a plusieurs familles par étage, surtout des familles ouvrières, et on voyait déjà de la lumière dans plusieurs logements. Le contraste était frappant entre cette maison plus que modeste et les allures aristocratiques que Baron essayait de se donner, et Maigret comprenait maintenant pourquoi l'inspecteur, qui était célibataire, ne parlait jamais de sa vie privée.

Au quatrième étage, une carte de visite était fixée à une porte, avec seulement le nom, sans mention de profession. Maigret frappa, ne reçut pas de réponse, tourna à tout hasard le bouton.

La porte s'ouvrit et, par terre, il trouva le chapeau de Baron. Après avoir allumé la lampe, il aperçut une cuisine minuscule à gauche, puis une salle à manger Henri II, comme on en voit encore dans les loges de concierge, avec des napperons brodés, et enfin une chambre à coucher dont la porte était grande ouverte.

Le Baron, tout habillé, était couché en travers du lit, un bras pendant à terre, et, s'il n'avait ronflé, on aurait pu croire qu'il lui était arrivé malheur.

— Baron ! Hé ! Vieux...

Il se retourna tout d'une pièce, sans s'éveiller, et le commissaire continua à le secouer.

— C'est moi, Maigret...

Cela prit plusieurs minutes. Enfin l'inspecteur grogna, entr'ouvrit les paupières, gémit parce que la lumière lui blessait les yeux, reconnut le visage de Maigret et, avec une sorte d'effroi, essaya de se mettre sur son séant.

— Quel jour sommes-nous ?

Il avait sans doute voulu demander : « Quelle heure est-il ? »

Car son regard cherchait le réveille-matin qui avait roulé par terre et dont le tic-tac venait de dessous le lit.

— Tu veux un verre d'eau ?

Maigret alla lui en chercher un dans la cuisine et, quand il revint, il trouva l'inspecteur à la fois lugubre et inquiet.

— Je vous demande pardon... Merci... Je suis malade... Si vous saviez comme je me sens mal...

— Il vaudrait peut-être mieux que je te prépare du café fort ?

— J'ai honte... Je vous jure que...

— Reste couché un moment.

L'appartement ressemblait à celui d'une vieille fille plus qu'au logement d'un célibataire, et on imaginait le Baron, après sa journée, passant un tablier pour vaquer à son ménage.

Cette fois, Maigret retrouva l'homme assis au bord du lit, le regard désespéré.

— Bois... Cela ira mieux après...

Il s'était servi une tasse de café aussi. Retirant

son pardessus, il s'assit sur une chaise. Une terrible odeur d'alcool régnait dans la chambre. Les
vêtements de l'inspecteur étaient sales et fripés
comme s'il avait passé la nuit sous les ponts.

— C'est terrible! soupira-t-il.

— Qu'est-ce qui est terrible?

— Je ne sais pas. J'ai des choses importantes
à vous dire. Des choses *capitales*.

— Alors?

— J'essaie de me souvenir. Que s'est-il passé?

— Nous avons arrêté Charlie et Cicero.

— Vous les avez arrêtés?

Tout son visage trahissait l'effort.

— Je crois que je n'ai jamais été aussi saoul de
ma vie. Je me sens vraiment malade. C'est à propos d'eux. Attendez. Je me rappelle qu'il ne fallait pas les arrêter.

— Pourquoi?

— Harry m'a dit...

Le nom venait de lui revenir, et il considérait
ça comme une victoire.

— Il s'appelle Harry... Attendez...

— Je vais t'aider. Tu étais au *Manhattan*, rue
des Capucines. Tu as parlé à plusieurs personnes
et tu as beaucoup bu...

— Pas chez Luigi. Chez Luigi, je n'ai presque pas bu. C'est après...

— On t'a fait boire exprès?

— Je ne sais pas. Je suis sûr que tout cela
me reviendra petit à petit. Il m'a dit qu'il ne
fallait pas les arrêter parce que cela risquait...
Bon Dieu de Bon Dieu! Que c'est difficile...

— Cela risquait quoi? Tu es sorti très tard de
chez Luigi. Ta voiture était à la porte. Tu y es

monté et tu devais avoir l'intention de te rendre
à Maisons-Laffitte.

— Comment le savez-vous?

— Quelqu'un, au cours de la soirée, probablement Lope ou Teddy... Brown.

— Mais, sacrebleu, comment pouvez-vous savoir
tout ça? Je leur ai parlé. Je m'en souviens, à présent. C'est vous qui m'en aviez chargé. J'avais
déjà visité plusieurs bars.

— Où tu avais bu.

— Un verre par-ci, un verre par-là. Ce n'est
pas possible de faire autrement. Je ne sens plus
ma tête.

— Attends.

Maigret pénétra dans le cabinet de toilette et
en revint avec une serviette trempée d'eau froide,
qu'il colla sur le front du Baron.

— On t'a parlé d'Helen Donahue et de son auberge dans la forêt, *Au bon Vivant.*

L'inspecteur le regardait avec des yeux écar-
quillés.

— Quelle heure est-il?

— Cinq heures et demie du matin.

— Comment vous y êtes-vous pris?

— Peu importe. Quand tu es sorti de chez
Luigi et que tu es monté dans ta voiture, quelqu'un t'a suivi, un homme blond, très grand, assez jeune, qui a dû s'approcher de toi.

— C'est vrai. Il s'appelle Harry.

— Harry qui?

— Il me l'a dit. Je suis sûr qu'il me l'a dit,
et même que c'est un nom d'une syllabe. Un nom
de chanteur.

— C'est un chanteur?

— Non, mais il a un nom de chanteur. Avant

que j'aie eu le temps de refermer la portière, il
s'est assis à côté de moi en disant :

» — *N'ayez pas peur.*

— En français ?

— Il parle français avec un fort accent, fait
beaucoup de fautes, mais on le comprend.

— Américain ?

— Oui. Attendez. Il m'a déclaré ensuite :

» — *Je suis quelque chose comme de la police.*
*Ne restons pas ici. Roulez. Où vous voudrez.*

» Puis, dès que j'eus mis le moteur en marche,
il m'a expliqué qu'il était assistant du district
attorney. Un district attorney, paraît-il, est une
sorte de juge d'instruction et en même temps de
procureur de la République. Dans les grandes villes, ils ont plusieurs assistants.

— Je sais.

— C'est vrai que vous êtes allé là-bas. Il m'a
demandé d'arrêter pour me montrer son passeport. Quand une affaire est importante, le district attorney et ses assistants s'occupent eux-mêmes de l'enquête. C'est exact ?

— Exact.

— Il savait où je me promettais d'aller en quit-
tant le bar de Luigi.

» — *Il ne faut pas que vous vous rendiez à*
*Maisons-Laffitte cette nuit. Cela ne donnerait rien*
*de bon. Je dois d'abord vous parler.*

— Il a parlé.

— Nous avons bavardé pendant au moins deux
heures, mais c'est justement ce qu'il m'est difficile de me rappeler. D'abord, nous avons continué
à rouler dans les rues, au petit bonheur, et il m'a
offert un cigare. Peut-être est-ce le cigare qui m'a
tourné le coeur ? J'ai eu soif. J'ignorais où nous

étions, mais j'ai vu un bistrot ouvert. Je crois que
c'était du côté de la gare du Nord.

— Tu ne lui as pas conseillé de venir me voir
au Quai?

— Oui. Il n'a pas voulu.

— Pourquoi?

— C'est compliqué. Si seulement je n'avais pas
si mal à la tête! Vous ne croyez pas qu'un verre
de bière me ferait du bien?

— Tu as de la bière?

— Il y en a sur l'appui de fenêtre de la cuisine, à l'extérieur.

Maigret en but, lui aussi. Baron, dégoûté du
désordre de sa chambre, s'était traîné dans la
salle à manger.

— Je me souviens de certains détails avec précision; il y a des phrases entières que je pourrais
répéter, mais entre elles, c'est plein de trous.

— Qu'est-ce que vous avez bu?

— De tout.

— Lui aussi?

— C'est lui qui regardait les bouteilles derrière
le comptoir et qui choisissait.

— Tu es sûr qu'il a bu autant que toi?

— Davantage. Il était vraiment ivre. La preuve,
c'est que, à un certain moment, il a roulé à bas
de sa chaise.

— Tu ne m'as pas expliqué pourquoi il refusait
de se mettre en rapport avec moi.

— Au fait, il vous connaît très bien et il vous
admire.

— Ah!

— Il vous a même rencontré au cours d'un
cocktail qu'on vous a offert à Saint-Louis et il se
souvient d'une sorte de conférence que vous avez

faite. Il est venu en France pour chercher Sloppy
Joe.

— C'est lui qui l'a ramassé rue Fléchier?

— Oui.

— Qu'est-ce qu'il en a fait?

— Il l'a transporté chez un docteur. Attendez!
Ne parlez plus! Voilà tout un morceau qui me
revient. A cause du docteur. Il m'a raconté comment il avait connu ce docteur-là. C'était tout de
suite après la Libération. Harry, qui faisait partie de l'armée américaine, a appartenu pendant
plus d'un an à je ne sais quel service stationné à
Paris. Il n'était pas encore assistant du district
attorney. Il s'amusait ferme. Parmi les gens qu'il
a rencontrés, il y avait un docteur. J'y suis! C'é-
tait à cause d'une petite femme qui avait peur
d'avoir un enfant et qui...

— Avortement?

— Oui. Il n'a pas prononcé le mot. Il est très
pudique. J'ai compris quand même. Il s'agit d'un
jeune docteur qui n'est pas établi et qui habite
du côté du boulevard Saint-Michel.

— C'est là qu'Harry fait soigner Sloppy Joe?

— Oui. J'ai eu l'impression qu'il me parlait
franchement. Il répétait :

» — *Vous direz ceci à Maigret... Et encore ceci.*

— Cela aurait été plus simple de venir ici.

— Il ne veut pas avoir de contacts officiels
avec la police française.

— Pourquoi?

— Cela me paraissait tout simple la nuit dernière. Je me rappelle que je lui donnais raison.
Maintenant, c'est moins évident. Ah! oui. D'a-
bord vous auriez dû questionner le blessé, et les
journaux en auraient parlé.

— Harry sait que Cinaglia et Cicero sont à Paris?

— Il sait tout. Il les connaît comme sa poche. Il était avant moi au courant de leur refuge du *Bon Vivant*.

— Il connaît Bill Larner?

— Oui. Je crois que je commence à reconstituer l'histoire. Voyez-vous, nous étions tous les deux ivres. Il répétait je ne sais combien de fois la même chose, avec l'air de croire que, en tant que Français, j'étais incapable de comprendre.

— Je connais ça.

Comme Pozzo! Comme Luigi!

— Il y a, à Saint-Louis, une grande enquête en cours. Comme cela arrive périodiquement, il s'agit de purger la ville des gangsters. C'est Harry qui s'en occupe principalement. Tout le monde connaît l'homme qui est à la tête des *rackets*, quelqu'un dont il m'a dit le nom, un type influent, qui a toutes les apparences d'un citoyen honorable et est ami avec les politiciens et avec les chefs de la police.

— La vieille histoire.

— C'est ça qu'il m'a dit. Seulement, là-bas, leurs lois ne sont pas les mêmes qu'ici, et il est difficile de faire condamner quelqu'un. C'est vrai?

— C'est vrai.

— Personne n'ose témoigner contre ce type-là, car celui qui ouvrirait la bouche ne vivrait pas quarante-huit heures.

Le Baron était tout heureux. Il venait d'en retrouver un bon bout d'un seul coup.

— Vous permettez que je reprenne un verre de bière? Cela me fait du bien. Vous en voulez?

Il avait encore le teint sale, les yeux cernés,

mais une petite flamme commençait à pétiller
dans ses prunelles.

— Nous sommes allés ailleurs, parce qu'on fer-
mait notre bistrot. Je ne me rappelle pas où. A
Montmartre, probablement, une petite boîte de
nuit où il y avait trois ou quatre danseuses. Une
petite brune lui faisait de l'oeil et s'asseyait tout
le temps sur ses genoux. Il n'y avait plus que
nous.

— Il a parlé de Sloppy Joe?

— C'est ce que j'essaie de retrouver. Sloppy
Joe est un pauvre type, tuberculeux au dernier
degré. Il a vécu toute sa vie dans les *rackets*, mais
il n'était qu'un vague comparse. Il y a deux mois,
un homme a été assassiné, à Saint-Louis, à la
porte d'un night-club. Si seulement je pouvais
me souvenir des noms! Tout le monde est persuadé que c'est le type dont je vous ai parlé tout
à l'heure qui l'a descendu. Le meurtre n'a eu que
deux témoins, dont le portier de la boîte, qu'on a
retrouvé mort le lendemain matin dans sa chambre.

» C'est alors que Sloppy Joe s'est enfui, parce
qu'il était le second témoin et que c'est toujours
malsain.

— Au Canada?

— A Montréal, oui. D'un côté, le bureau du
district attorney essayait de mettre la main sur lui
pour le faire parler; de l'autre, les gangsters
étaient impatients de le retrouver pour l'en empêcher.

— Je comprends.

— Moi, je ne comprenais pas. Sloppy Joe, paraît-il, représente en réalité des millions. S'il parle, c'est toute une organisation criminelle en même temps qu'une puissante machine politique qui

s'écroule, et j'entends encore Harry me répéter :

» — *Ici, vous ne connaissez pas ces choses-là. Vous n'avez pas de ces larges associations de malfaiteurs, organisées comme des sociétés anonymes. Votre tâche est facile...* »

Maigret aussi croyait l'entendre. C'était une chanson qu'il commençait à connaître.

— A Montréal, Sloppy Joe ne s'est pas senti assez loin de ses compatriotes. Il est parvenu à se procurer un faux passeport. Comme le passeport était au nom d'un couple, il s'est arrangé pour qu'une femme l'accompagnât, se disant que cela dérouterait davantage ceux qui le recherchaient. Il a décidé une vendeuse de cigarettes dans une boîte de nuit à le suivre. Elle avait rêvé toute sa vie de voir Paris... Vous permettez?

Le Baron se traîna jusqu'au cabinet de toilette, d'où il revint avec deux comprimés d'aspirine.

— Sloppy Joe n'avait pas beaucoup d'argent. Il a compris que, même à Paris, on finirait par l'avoir. Alors, un beau jour, il a adressé une longue lettre au district attorney disant que, si on lui promettait de le protéger, si on venait le chercher ici et si on lui remettait une certaine somme, il acceptait de témoigner. J'embrouille peut-être un peu les choses, mais c'est la ligne générale.

— Harry t'a chargé de m'expliquer tout ça?

— Oui. Il a failli vous téléphoner. Il l'aurait fait ce matin si, hier, il n'avait compris que j'avais découvert la retraite des tueurs. Car ce sont de vrais tueurs. Charlie surtout.

— Comment Charlie et Cicero ont-ils retrouvé la trace de Sloppy Joe?

— A Montréal. Par la fille que Mascarelli a

emmenée. Elle a une mère là-bas, à qui elle a eu l'imprudence d'écrire de Paris.

— En donnant son adresse?

— Une adresse à la poste restante, mais elle ajoutait qu'elle habitait juste en face d'un grand music-hall. Quand Harry a décidé de s'embarquer pour venir chercher Sloppy Joe et le ramener à Saint-Louis, il a appris que Cinaglia et Cicero l'avaient devancé de quarante-huit heures.

Maigret ne pouvait s'empêcher d'évoquer l'existence du pauvre Mascarelli depuis qu'il avait quitté Saint-Louis, sa vie à Montréal, puis à Paris, où il osait à peine quitter son hôtel pour prendre l'air, le soir, pendant quelques minutes.

Il comprenait maintenant pourquoi Cicero et Charlie avaient eu besoin d'une voiture de louage. Pendant deux ou trois jours, ils s'étaient sans doute embusqués près des Folies-Bergère en attendant le moment favorable pour agir. Quand ce moment était enfin arrivé, l'assistant du district attorney était sur leurs talons.

— Harry m'a raconté la scène, qui ressemble à un film de cinéma. Il était à pied. Il venait de tourner le coin de la rue Richer quand il a vu Sloppy Joe qui montait dans une voiture. Il a compris. Il n'y avait pas de taxi en vue, et il a cherché devant le théâtre une auto dont la portière ne soit pas fermée.

C'était assez drôle d'imaginer l'assistant du district attorney dans une auto volée! Ces gens-là, qu'ils fussent d'un côté ou de l'autre de la barrière, agissaient à Paris comme chez eux. La foule qui circulait dans les rues, pendant la nuit de lundi au mardi, ne s'était pas doutée qu'elle assistait à une poursuite à la manière de Chicago.

Et, sans le pauvre Lognon, qui, collé contre la grille de Notre-Dame de Lorette, s'occupait d'un petit revendeur de cocaïne, personne n'en aurait jamais rien su.

— Sloppy Joe n'est pas mort?

— Non. Comme dit Harry, son docteur est en train de le *réparer*. Une transfusion était indispensable, et c'est Harry qui a donné je ne sais quelle quantité de son sang. Il le veille comme un frère, mieux qu'un frère. Toute sa carrière, paraît-il, en dépend. S'il arrive à Saint-Louis avec Sloppy Joe vivant, s'il parvient à le garder en vie jusqu'au jour du procès, si, à ce moment-là, l'homme ne se dégonfle pas et répète son témoignage, Harry sera presque aussi célèbre que Dewey l'est devenu après avoir nettoyé New-York de ses gangsters.

— La femme? C'est Harry qui l'a enlevée?

— Oui. Il vous en a voulu quand il a vu la photographie de Charlie et de Cicero dans les journaux.

C'était vrai, ma foi, que ces gens-là étaient forts, les uns comme les autres, l'assistant du district attorney comme les tueurs. Ils avaient pensé que la compagne de Mascarelli réagirait peut-être en voyant les photographies et se déciderait peut-être à s'adresser à la police.

C'est ce qu'elle avait fait en envoyant un pneumatique à Maigret.

Charlie avait quitté le *Bon Vivant,* tout seul, pour la faire taire. Mais, quelques minutes avant lui, Harry était venu la chercher et l'avait mise en sûreté.

Ils se gênaient si peu! Ils menaient leurs petites affaires comme si Paris était une sorte de *no man's land* où ils pouvaient agir à leur guise.

— Elle est aussi chez le docteur?

— Oui.

— Harry n'a pas peur que Charlie découvre l'adresse?

— Il a pris ses précautions, paraît-il. Quand il s'y rend, il s'assure qu'il n'est pas suivi, et il a quelqu'un pour les garder.

— Qui?

— Je ne sais pas.

— En somme, de quel message t'a-t-il chargé au juste?

— Il vous demande de ne pas vous occuper de Charlie et de Cicero, tout au moins pendant quelques jours. Sloppy Joe ne sera pas transportable avant une semaine. Harry compte l'emmener en Amérique par avion. D'ici là, il y a encore des dangers à courir.

— Si je comprends bien, il me fait dire que ce ne sont pas mes affaires?

— A peu près. Il vous admire beaucoup, se réjouit d'avoir l'occasion, quand tout sera fini, de bavarder avec vous, ici ou à Saint-Louis.

— L'amabilité même! Où as-tu quitté ce monsieur?

— Devant son hôtel.

— Tu te souviens de l'adresse?

— C'est quelque part du côté de la rue de Rennes. Je crois que, si j'étais dans le quartier, je reconnaîtrais la façade.

— Tu te sens assez en forme pour y venir?

— Vous permettez que je me change?

Le jour n'était plus loin. Il y avait maintenant des allées et venues dans la maison, où quelque part la radio donnait les nouvelles. Maigret entendit l'inspecteur qui s'ébrouait dans le cabinet de toilette et, quand il revint dans la salle à manger, il ressemblait à une gravure de mode, sauf que son teint était toujours de papier mâché.

Il parut humilié en voyant sa voiture avec deux roues sur le trottoir.

— Vous voulez que je conduise?

— Je préfère prendre un taxi. Mais tu pourrais ranger correctement ta bagnole.

Ils marchèrent jusqu'au boulevard des Batignolles, trouvèrent une voiture.

— Rive gauche. Allez d'abord rue de Rennes.

— Quel numéro?

— Faites toute la rue.

Ils errèrent pendant un bon quart d'heure dans le quartier, tandis que Baron inspectait les façades de tous les hôtels. A un certain moment, il dit :

— C'est ici.

— Tu es sûr?

— Je reconnais la plaque en cuivre de la porte.

Ils entrèrent. Un homme était en train de passer un torchon mouillé dans le corridor.

— Il n'y a personne au bureau?

— Le patron ne descend qu'à huit heures. Je suis le gardien de nuit.

— Vous connaissez les noms des locataires?

— Ils sont au tableau.

— Y-a-t-il un Américain, un grand blond, assez jeune, dont le prénom est Harry?

— Certainement pas.

— Vous ne voulez pas vérifier?

— Ce n'est pas la peine. Je sais de qui vous voulez parler.

— Comment?

— Du type qui est entré vers quatre heures

du matin. Il m'a demandé à quel numéro habitait
M. Durand. Je lui ai répondu que nous n'avions
pas de Durand.

» — *Et Dupont?* a-t-il dit.

» J'ai pensé qu'il se moquait de moi et l'ai regardé de travers, surtout qu'il paraissait fin
saoul. »

Maigret et Baron échangèrent un coup d'oeil.

— Il se tenait là où vous êtes et ne semblait
pas avoir l'intention de s'en aller. Il a fouillé
dans sa poche et a fini par me donner un billet de
mille francs en m'expliquant que c'était une bla-
gue, qu'une femme courait après lui et qu'il était
entré à l'hôtel pour la semer. Il m'a prié de regarder dans la rue et de m'assurer qu'il n'y avait
plus de voiture dans les environs. Il est encore
resté quelques minutes, puis il est parti.

Le Baron était furieux.

— Il m'a joué! gronda-t-il entre les dents une
fois dans la rue. Vous croyez que c'est vraiment
un assistant du district attorney?

— C'est plus que probable.

— Alors, pourquoi a-t-il fait ça?

— Parce que, dit tranquillement Maigret en
prenant place dans le taxi, ces gens-là, les bons
comme les mauvais, se figurent que nous sommes
des enfants. La petite classe, quoi!

— Où est-ce que je vous conduis maintenant,
monsieur Maigret? questionna le chauffeur qui l'a-
vait reconnu.

— Quai des Orfèvres.

Et, bourru, il se tassa dans son coin.

# CHAPITRE

# 9

*Où Maigret accepte malgré tout
un verre de whisky.*

— LE CHEF VIENT D'AR-
river, monsieur le commissaire.

— J'y vais.

Il était neuf heures du matin, et, dans le jour
gris, Maigret avait les joues sales de barbe, les
yeux légèrement bordés de rouge. Depuis une
bonne demi-heure, il tenait son mouchoir à la
main, fatigué de le tirer à chaque instant de sa
poche.

Trois fois on était venu lui dire :

— La femme fait un potin de tous les diables.

— Qu'elle continue !

Puis un inspecteur avait annoncé :

— J'ai entrouvert la porte pour lui passer une
tasse de café et elle me l'a lancée à la figure. La
paillasse est déchirée et le crin répandu partout.

Il avait haussé les épaules. On avait téléphoné
de sa part à Lucas pour lui dire qu'il n'avait plus
besoin de rester *Au Bon Vivant*.

— Qu'il aille se coucher !

Mais Lucas, qui tenait à voir la fin, était accouru au Quai des Orfèvres avec, lui aussi, une ombre de barbe sur le menton et les joues.

Quant à Torrence, il s'était enfermé dans un bureau avec Tony Cicero, à qui il s'obstinait à poser des questions auxquelles l'autre ne répondait que par un silence méprisant.

— Tu perds ton temps, mon vieux, lui avait fait remarquer Maigret.

— Je sais. Cela me fait plaisir. Il ne comprend rien de ce que je dis, mais je vois bien que cela l'inquiète. Il a une envie folle d'une cigarette et est trop fier pour m'en demander. Il y viendra. Une fois, déjà, il a ouvert la bouche et l'a refermée sans rien dire.

Il régnait une drôle d'effervescence que pouvaient seuls comprendre ceux qui avaient participé à l'affaire, les quelques collaborateurs intimes de Maigret. Le petit Lapointe, par exemple, arrivé au bureau sans rien savoir, se demandait pourquoi Maigret et ses hommes mettaient, ce matin, un acharnement farouche à abattre leur étrange besogne.

Les commissariats du V° et du VI° arrondissement avaient été alertés.

— Un médecin, oui, probablement assez jeune. Il habite dans les environs du boulevard Saint-Michel, mais je ne pense pas qu'il ait une plaque à sa porte. Les petites femmes doivent le connaître, car il pratique l'avortement à l'occasion. Il faudrait interroger les pharmaciens du quartier. Il est probable que, mardi dernier, il a acheté une certaine quantité de médicaments. Voir également les maisons qui vendent les instruments de chirurgie.

Ce matin-là, des inspecteurs de quartier qui ne connaissaient rien à l'affaire allaient de porte en porte, de pharmacie en pharmacie, sans se douter qu'ils s'occupaient de gens venus de Saint-Louis pour régler leurs comptes.

Un autre, de la P. J., était à l'Ecole de Médecine, où il copiait les listes d'étudiants qui avaient passé leur thèse au cours des dernières années. Il y en avait qui questionnaient les professeurs. La police des moeurs était sur les dents, réveillant des filles qui se demandaient ce qui leur arrivait.

— Déjà eu un avortement?

— Dites donc! Pour qui me prenez-vous?

— Bon! Ça va! Il ne s'agit pas de te chercher des histoires. Il y a un docteur, dans le quartier, qui s'occupe de ces choses-là. Qui est-ce?

— Je ne connais qu'une sage-femme. Vous avez demandé à Sylvie?

Avec ceux qui, à la frontière, et les gendarmes qui, sur les routes, guettaient le passage de Bill Larner, cela faisait quelques centaines de personnes mobilisées à cause des Américains.

Maigret frappa à une porte, qu'il referma derrière lui, tendit la main au directeur de la P. J. et se laissa tomber sur une chaise. Pendant dix minutes, d'une voix monotone, il résuma ce qu'il savait de l'affaire. Et, à la fin, le chef paraissait plus embarrassé que lui.

— Qu'est-ce que vous comptez faire? Mettre la main sur ce Mascarelli?

Maigret en était tenté, car il en avait depuis longtemps assez d'être traité en enfant de choeur.

— Si je le fais, j'empêche l'assistant du district attorney de coincer son chef de gangsters.

— Et, si vous ne le faites pas, vous ne pouvez accuser Charlie et Cicero de tentative d'assassinat.

— Evidemment. Reste Lognon. Ils ont bel et bien kidnappé Lognon, comme on dit chez eux, et l'ont transporté dans la forêt de Saint-Germain, où ils l'ont rossé. Ils ont également pénétré à son domicile avec effraction, et enfin Charlie a descendu un inspecteur rue Grange-Batelière.

— Il prétendra qu'il a été attaqué ou qu'il a cru à un guet-apens, et les apparences sont pour lui. Son avocat dira qu'il marchait tranquillement dans la rue quand il a vu deux hommes qui s'apprêtaient à sauter sur lui.

— Bon ! Supposons que cela se passe ainsi. Nous avons toujours Lognon, et cela leur vaudra quelques années de tôle, mettons au bas mot quelques mois.

Le chef ne pouvait s'empêcher de sourire devant l'air buté de Maigret.

— La femme n'est pour rien dans l'affaire Lognon, objecta-t-il encore.

— Je sais. Celle-là, il faudra qu'on la relâche. C'est pourquoi je la laisse crier. Je ne peux rien contre Pozzo non plus. On le trouvera bien en défaut un de ces jours et on fermera sa boîte.

— Fâché, Maigret ?

Alors celui-ci sourit à son tour.

— Avouez, chef, qu'ils abusent. Si Lognon n'avait pas fait du zèle la nuit de lundi à mardi, tout se serait passé à notre nez et à notre barbe. On aurait plus tard raconté l'histoire à Saint-Louis. Et j'entends quelqu'un questionner :

» — *Mais la police française ?*

» — *La police française ? Elle n'y a vu que du feu, la police française !… Evidemment !…*

Il était onze heures, et Maigret venait de répondre aux questions de Mme Lognon, qui téléphonait pour la seconde fois de la journée, quand il eut un inspecteur du VI° arrondissement au bout du fil.

— Allô! Commissaire Maigret? Le médecin s'appelle Louis Duvivier et habite au 17 *bis*, rue Monsieur-le-Prince.

— Il est chez lui en ce moment?

— Oui.

— Il y a d'autres personnes avec lui?

La concierge croit que, depuis quelques jours, un malade vit dans son appartement, et cela l'a surprise, car, d'habitude, il ne reçoit que des femmes. Il est vrai qu'il y a une femme aussi.

— Depuis quand?

— Depuis hier.

— Personne d'autre?

— Un Américain qui vient presque tous les jours.

Maigret raccrocha et, un quart d'heure plus tard, il montait lentement l'escalier de l'immeuble. C'était une vieille maison sans ascenseur, et l'appartement était au sixième. Un cordon pendait à gauche de la porte. Quand il le tira, il entendit des pas à l'intérieur. Puis la porte s'entrouvrit légèrement, il entrevit un visage, poussa le battant du pied en grondant :

— Qu'est-ce que tu fais ici, toi?

Il avait envie d'éclater de rire. Le type qui l'accueillait, un automatique à la main, n'était autre qu'un certain Dédé-de-Marseille qui jouait les terreurs dans les boîtes de la rue de Douai. Dédé ne savait que répondre, regardait le commissaire avec des yeux ronds en essayant de cacher son arme.

— Je ne fais rien de mal, je vous assure.

— Hello! monsieur Maigret!

Le grand Américain blond, en bras de chemise, sortait d'une pièce mansardée, au toit en partie vitré, qui ressemblait à un atelier d'artiste.

Son visage était un peu bouffi, ses yeux vagues comme ceux du Baron. Mais son regard était presque joyeux. Il tendait la main.

— Je me doutais que j'avais trop parlé et que vous finiriez par trouver l'adresse. Vous m'en voulez beaucoup.

Une jeune femme sortit de la cuisine, où elle était en train de préparer quelque chose sur le réchaud.

— Permettez que je vous présente?

— Je préférerais que nous descendions tous les deux.

Il avait entrevu un lit dans lequel il y avait quelqu'un, un homme aux cheveux bruns qui s'efforçait de se dissimuler.

— Je comprends. Attendez-moi un instant.

Il reparut un peu plus tard avec un veston et un chapeau.

— Qu'est-ce que je fais? lui demanda Dédé, qui s'adressait en même temps à Maigret.

— Ce que tu voudras, répondit celui-ci. Les types sont sous les verrous.

Dans l'escalier, le commissaire et son compagnon ne dirent rien. Dehors, ils se mirent à marcher vers le boulevard Saint-Michel.

— C'est vrai ce que vous venez de dire?

— Pour Cicero, oui. Charlie est à l'hôpital.

— Votre inspecteur vous a fait ma commission?

— Dans combien de temps pouvez-vous prendre l'avion avec votre chargement?

— Trois ou quatre jours. Cela dépendra du docteur. Vous allez lui faire des ennuis?

Dites-moi, monsieur Harry... Harry comment?

— Pills.

— C'est cela. Comme le chanteur! C'est ce que Baron m'avait dit. Supposez que j'aille dans votre pays et que je m'y comporte à la façon dont vous vous êtes comporté ici?

— J'accepte la leçon.

— Vous n'avez pas répondu.

— Vous risqueriez d'avoir des ennuis, de gros ennuis.

— Où avez-vous connu Dédé?

— Après la Libération, quand je passais la plupart de mes nuits dans les boîtes de Montmartre.

— Vous l'avez embauché pour garder le blessé?

— Je ne pouvais pas rester jour et nuit dans l'appartement. Le docteur non plus.

— Qu'est-ce que vous allez faire de la femme?

— Elle n'a pas d'argent pour retourner. Je lui payerai le voyage. Elle a un bateau après-demain.

Ils étaient arrivés devant un bar, et Harry Pills s'arrêta, murmura, hésitant :

— Vous ne pensez pas que nous pourrions prendre un verre? Je veux dire : est-ce que vous accepteriez de...

C'était drôle de voir ce grand garçon athlétique rougir comme un simple Lognon.

— Il n'y a peut-être pas de whisky, objecta Maigret.

— Il y en a. Je connais.

Il fit la commande, leva son verre, qu'il tint un moment devant lui. Maigret le regardait, toujours bourru, en homme qui en a encore gros sur le coeur, et c'est d'un air mi-figue mi-raisin qu'il prononça :

— Au Gai-Paris, comme vous dites !

— Toujours fâché ?

Peut-être pour montrer qu'il n'était pas si fâché que ça, ou parce que Pills était sympathique, Maigret but un second verre. Et, comme il ne pouvait pas s'en aller sans payer sa tournée, il y en eut un troisième.

— Ecoutez, Maigret, mon vieux...

— Non, Harry, c'est moi qui parle...

Vers midi, Pills disait :

— Voyez-vous, Jules...

-:-

— Qu'est-ce que tu as ? demanda Mme Maigret. On dirait...

— Que j'ai un rhume, simplement, et que je vais me coucher avec un grog et deux cachets d'aspirine.

— Tu ne manges pas ?

Il traversa la salle à manger sans répondre, entra dans sa chambre et commença à se déshabiller. Sans sa femme, il est probable qu'il se serait couché avec ses chaussettes.

Il leur avait quand même montré... Parfaitement !

FIN

*8 septembre 1951.*

ACHEVÉ D'IMPRIMER LE
18 NOVEMBRE 1976 SUR LES
PRESSES DE L'IMPRIMERIE
BUSSIÈRE, SAINT-AMAND (CHER)

— N° d'édit. 356. — N° d'imp. 1596. —
Dépôt légal : 1er trimestre 1968.
*Imprimé en France*